Les Fées Hilares,
Marie Chaplet et Steffanie Yeakle

DISPARITION
À LONDRES

+ de 100 énigmes 👑 1 grande carte

Illustrations de Caroline Ayrault,
Solenne et Thomas

DEUX
COQS D'OR

MODE D'EMPLOI

Disparition à Londres

À LIRE AVANT D'ENQUÊTER !

Tu es curieux de savoir ce qui a disparu ?
Tu tiens toutes les réponses entre tes mains.
Pour avancer dans le livre, fais bien attention,
résous les énigmes, repère-toi sur le plan
de Londres et demande de l'aide aux bonnes
personnes. Bref, mène une véritable enquête !

Comment fonctionne le livre ?

Attention, l'histoire ne se déroule pas comme dans un livre classique. <u>La suite du paragraphe 1 n'est pas le paragraphe 2</u>. Pour avancer dans l'enquête, tu dois suivre les numéros de paragraphe que tu trouves dans l'énigme ou qui sont proposés comme réponse. Marque bien la page où tu te trouves, surtout quand tu cherches sur la carte, car si tu te trompes de paragraphe, tu dois pouvoir revenir en arrière !

Voici les outils dont tu disposes pour enquêter :

<u>1. La carte de Londres</u>, à détacher à la fin du livre.

Détache-la et déplie-la pour l'avoir toujours sous les yeux. Pendant ton enquête, tu devras souvent chercher ta prochaine destination sur la carte, notamment à chaque fois que tu verras ce cadre :

Le texte du livre te donnera des indices sur le lieu que tu recherches : la distance à pied depuis là où tu te trouves, et des éléments visuels pour t'aider à le repérer.
Quand tu as trouvé sur la carte le lieu que l'on te demande, relève le numéro de son drapeau : c'est le numéro du paragraphe du livre où tu dois te rendre pour continuer l'enquête.

• • •

2. La règle graduée à découper,
sur la dernière page avant la carte.

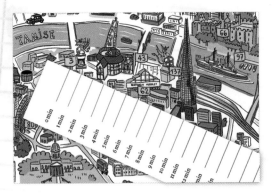

Elle te sert à calculer les distances sur la carte. Voici comment faire : pose le 0 de ta règle à la base du poteau du drapeau de ton point de départ, et appuie dessus avec un doigt. Ensuite, trouve la distance donnée par le livre, par exemple « 6 » pour 6 minutes à pied. Fais pivoter la règle autour de ton point de départ et regarde bien tout ce qui se trouve à la distance donnée. Tu trouveras ainsi ta destination, en t'aidant des autres indices dans le texte !

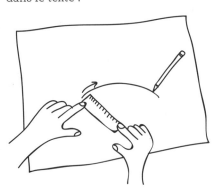

Si le livre te donne la distance entre le lieu que tu cherches et deux lieux, tu trouveras ta destination à l'intersection de deux arcs de cercle que tu peux dessiner sur le plan de cette façon :

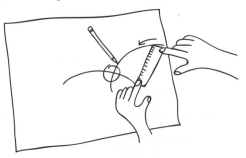

3. Tes points d'enquête, après la dernière page des portraits.

Tu démarres l'enquête avec cinquante points d'enquête et, selon le nombre de points qu'il te restera à la fin, tu sauras si tu es un enquêteur confirmé ou si tu dois encore t'améliorer. À chaque fois que tu te trompes dans ton enquête, raye un point.
Quand vraiment tu n'avances pas, tu peux toujours trouver la réponse dans les pages solutions – chaque consultation te fait perdre un point d'enquête, mais c'est mieux que de rester bloqué, non ?

4. Les 4 fiches informateurs à découper : ces pages se trouvent après les solutions. Les indicateurs sont les quatre personnes qui vont t'aider pour avancer dans l'enquête. Tu peux lire leur fiche au fur et à mesure qu'ils apparaissent dans l'histoire. Le livre te dit toujours à quel moment faire appel à eux, mais ne te dit jamais lequel appeler : c'est à toi de choisir le plus apte à te donner un indice en fonction de ce que tu es en train de chercher. Ils ont chacun leur spécialité, à toi de bien les connaître !

Tu sais tout, et tu peux retrouver ces informations sur Internet, dans le tutoriel vidéo de « Disparition à Londres », sur la chaîne des Fées Hilares. Eh bien ? Ne reste pas là, tu as une enquête à mener ! C'est parti !

LONDRES ! Si tu t'attendais à ça, en vérifiant tes messages hier soir ! Mais une mission de Colomba Fond, ça ne se refuse pas, et tu as hâte de savoir de quoi il s'agit. Tu sors du train et découvres la gare de Saint-Pancras, avec sa voûte vitrée qui laisse entrer les rayons du soleil. Le message de Colomba Fond était très court et, comme à son habitude, à moitié crypté, de peur qu'il ne tombe entre de mauvaises mains.

Plusieurs hommes tiennent des panneaux car ils attendent des passagers. Vers lequel te diriges-tu ?

▶ Celui dont le panneau dit « Bacon Oldfom », va au n° **24**.
▶ Celui dont le panneau dit « Adamo Flocon », va au n° **78**.

« Ce n'est vraiment pas mon rayon, ces affaires-là », soupire Colomba Fond.

▶ **Perds un point d'enquête et retourne au n° 31.**

n° 3

Non, ce dragon est sur le pont à l'ouest des limites du quartier.

▶ **Tu ne perds pas de point d'enquête, mais retourne à ton précédent paragraphe.**

n° 4

Le temps que les policiers te laissent enfin partir, ton fuyard est bien loin maintenant. La seule piste qui te reste, c'est ce tract Royal Animal avec l'empreinte de pas. Peut-être y a-t-il quelque chose à tirer de l'empreinte ? Tu en fais une photo. Auquel de tes informateurs l'envoies-tu ? Qui saura trouver une piste à partir d'une empreinte de pas ?

DAN PHILIPS
n° 108

COLOMBA
FOND
n° 167

SHERLOCK
HOLMES
n° 121

LADY CALISTA
CUMBERT-JONES
n° 114

n° 5

Tu en as bien compté 8 mais une et une seule araignée sort de la boîte dont l'intérieur est tapissé de miroirs ! Elle est quand même très grande… Elle s'enfuit vers un coin de la pièce jusqu'à sa toile, gigantesque comme elle. Elle n'a pas l'air d'avoir peur, et elle est intrigante, comme si elle voulait communiquer avec toi. Tu la suis des yeux et lorsqu'elle s'immobilise, tu remarques des choses étranges dans sa toile.

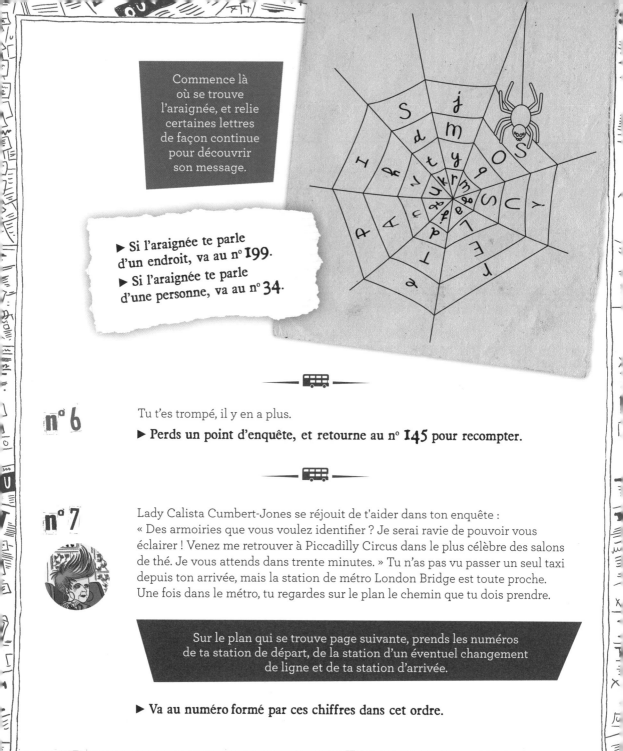

Commence là
où se trouve
l'araignée, et relie
certaines lettres
de façon continue
pour découvrir
son message.

▶ Si l'araignée te parle
d'un endroit, va au n° **199**.
▶ Si l'araignée te parle
d'une personne, va au n° **34**.

n° 6

Tu t'es trompé, il y en a plus.

▶ **Perds un point d'enquête, et retourne au n° 145 pour recompter.**

n° 7

Lady Calista Cumbert-Jones se réjouit de t'aider dans ton enquête :
« Des armoiries que vous voulez identifier ? Je serai ravie de pouvoir vous
éclairer ! Venez me retrouver à Piccadilly Circus dans le plus célèbre des salons
de thé. Je vous attends dans trente minutes. » Tu n'as pas vu passer un seul taxi
depuis ton arrivée, mais la station de métro London Bridge est toute proche.
Une fois dans le métro, tu regardes sur le plan le chemin que tu dois prendre.

Sur le plan qui se trouve page suivante, prends les numéros
de ta station de départ, de la station d'un éventuel changement
de ligne et de ta station d'arrivée.

▶ **Va au numéro formé par ces chiffres dans cet ordre.**

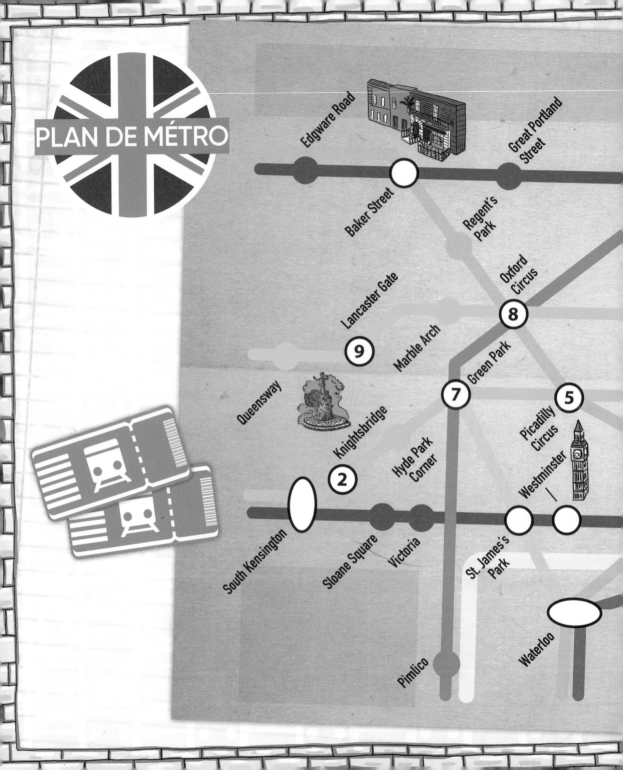

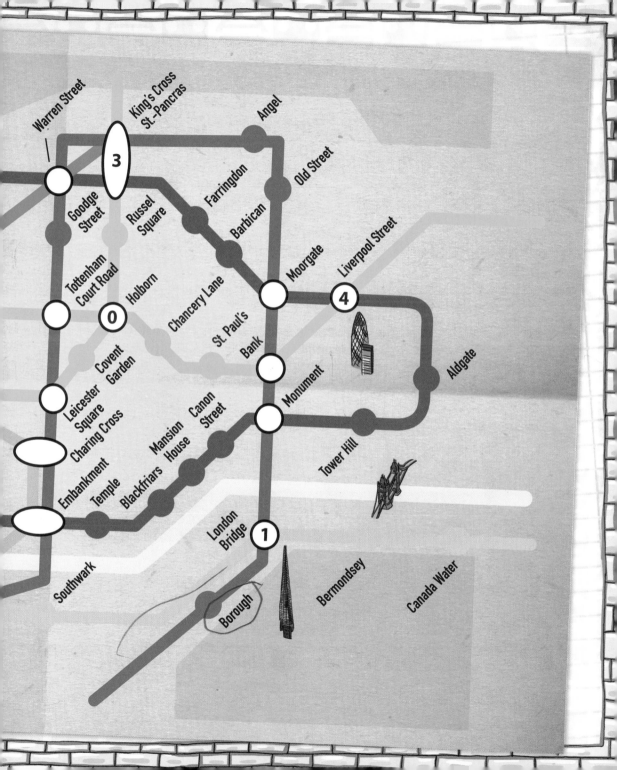

En cherchant sur le tract le lieu du rendez-vous, tu le déplies et découvres un autre rébus.

Note ici la solution du rébus :

. . . .

> **Maintenant que tu sais où aller,
> le métro sera le plus rapide.
> Regarde sur le plan (page précédente)
> le chemin que tu dois prendre
> depuis la statue de Peter Pan.**

Note ici les numéros de ton trajet :

▶ **Va au numéro formé par ces chiffres dans cet ordre.**

. . . .

Prends les numéros de ta station de départ, de la station d'un éventuel changement de ligne et de ta station d'arrivée.

Non, ce n'était pas une odeur de bacon ou de saucisse.

▶ **Perds un point d'enquête et retourne au n° 119.**

Te voilà maintenant devant la salle des joyaux, qui effectivement est fermée et gardée par deux gardes royaux. Tu montres tes papiers et expliques que tu es attendu par l'équipe d'investigation à l'intérieur, mais ils exigent un mot de passe.

À ce moment-là, ton téléphone vibre : Colomba vient de t'envoyer une image, sans explication. Mais tu la connais bien, et si tu rayes le code qui se répète, il te restera le mot de passe.

Note ici ta réponse :

. . . .

▶ **Tu as trouvé un mot qui finit par E, va au n° 35.**
▶ **Tu as trouvé un mot qui finit par L, va au n° 109.**
▶ **Tu as trouvé un mot qui finit par A, va au n° 41.**

Tu es parti du mauvais côté.

▶ **Perds un point d'enquête et retourne au n° 75.**

« Vous voilà équipé, ce parapluie vous plaît ? Il y a une personne à qui je fais parfois appel pour nos enquêtes, il a comme vous des méthodes différentes. Allez le rencontrer chez lui à Baker Street, il s'appelle Sherlock Holmes. Je le préviens de votre venue. »

Baker Street est une rue qui donne sur la partie sud-ouest de Regent's Park, le parc où se trouve le zoo de Londres. D'ailleurs le 221B Baker Street est à 15 minutes à pied du zoo.

Hyde Park

Tu as trouvé le Speaker's Corner. Après avoir écouté plusieurs discours sans intérêt pour toi, tu trouves une personne qui répète une phrase difficile à comprendre, mais dans laquelle pourtant tu crois reconnaître quelque chose.
À force de l'entendre encore et encore, tu comprends : il parle sans voyelles !

Remets dans la phrase du speaker les voyelles qui manquent.

Pr_t_g_r l'_n_m_l r_y_l, t_ v__x ! Tr__v_r l_ st_t__ d_ P_t_r _t s_ fl_t_ d_ P_n, t_ d__s !

► Si tu penses que ce qu'il dit n'a rien à voir avec l'enquête, va au n° **132** pour continuer à chercher.

► Si tu penses qu'il dit quelque chose qui concerne l'enquête, alors cherche sur le plan ton prochain n°.

Comment dit-on « animaux » au singulier ? Et « royal » est lui aussi un adjectif qu'on utilise en français.

► **Perds un point d'enquête et retourne au n° 80.**

n° 15

Tu as mal regardé.

▶ **Perds un point d'enquête et retourne au n° 153 pour mieux regarder.**

n° 16

Tous les portraits de famille montrent le même homme, certainement le génial ancêtre. À toi maintenant de repérer son année de naissance sur l'arbre généalogique. Pas facile : il fait sombre, l'arbre et les portraits sont sur deux murs opposés, et tous les hommes de la famille se ressemblent ! Une fois que tu as bien regardé les portraits, tu retournes voir l'arbre généalogique en sachant que :

☕ ton homme est roux et a un grain de beauté sous le nez,

☕ sa femme est rousse, mais n'a pas de grain de beauté,

☕ son fils lui, n'a pas de grain de beauté.

Quand tu as trouvé l'année de naissance de l'ancêtre, additionne chaque chiffre de cette année pour obtenir un nombre à deux chiffres. Par exemple : 1999 = 1+9+9+9 = 28.

Note ici le nombre que tu trouves :
...11...

▶ **Si ce nombre est pair, va au n° 90.**

▶ **Si ce nombre est impair, va au n° 149.**

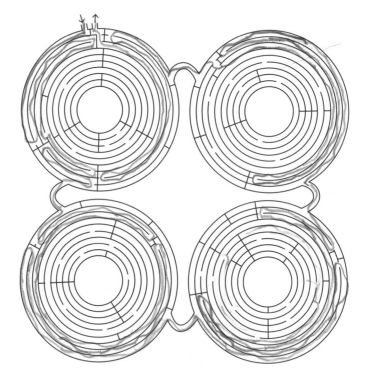

Une fois sur le toit de la tour, les corbeaux forment un cercle et hochent la tête vers le centre de ce cercle. Dès que vous vous approchez, ils s'envolent mais continuent à vous regarder fixement. Dessiné dans la poussière au sol, vous remarquez un bien étrange symbole. Impossible que les corbeaux l'aient créé, mais ils voulaient que vous le voyiez. Pourquoi ?

On dirait un labyrinthe ! Trace le chemin de l'entrée jusqu'à la sortie.

▶ **Le chemin a dessiné un numéro. Va au paragraphe correspondant.**

n° 18   Ressaie.   ▶ **Perds un point d'enquête et retourne au n° 140.**

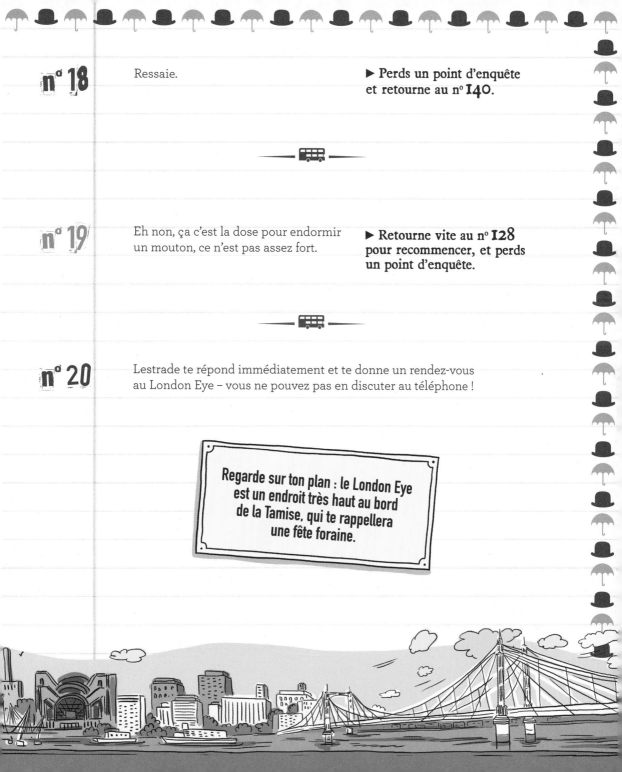

n° 19   Eh non, ça c'est la dose pour endormir un mouton, ce n'est pas assez fort.   ▶ **Retourne vite au n° 128 pour recommencer, et perds un point d'enquête.**

n° 20   Lestrade te répond immédiatement et te donne un rendez-vous au London Eye – vous ne pouvez pas en discuter au téléphone !

> Regarde sur ton plan : le London Eye est un endroit très haut au bord de la Tamise, qui te rappellera une fête foraine.

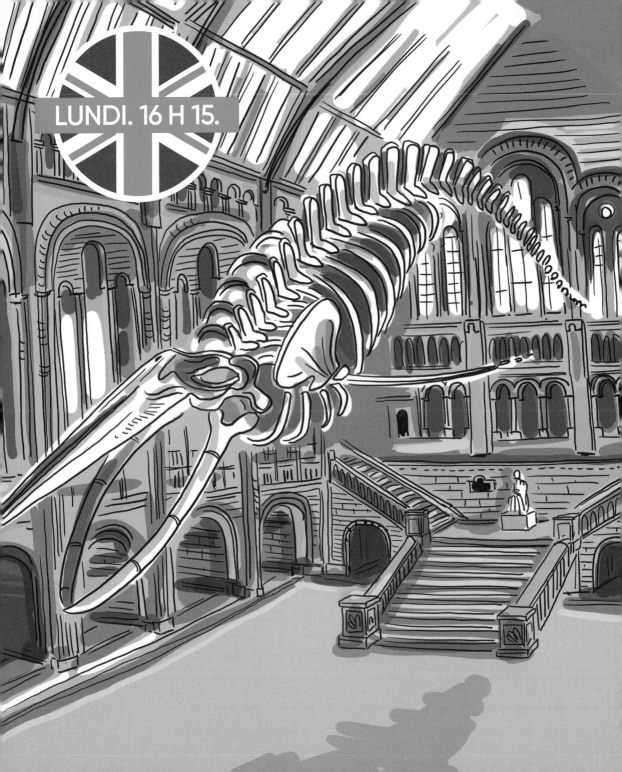

LUNDI. 16 H 15.

Natural History Museum

Tu arrives dans le grand hall du Muséum d'histoire naturelle et commences à compter les côtes du squelette de baleine bleue suspendu du plafond. Ce lieu est si impressionnant que tu en as oublié ta mission, un court instant. Pas facile de demander ton scientifique à l'accueil quand tu sais seulement qu'il se prénomme Jack ! Tu cherches sur le répertoire tous les scientifiques qui travaillent là et leur sujet de recherche, mais ils sont au moins cinquante !

Tu isoles tous les prénommés Jack : il en reste quatre.
Peut-être que son sujet de thèse te mettra sur la bonne voie ?

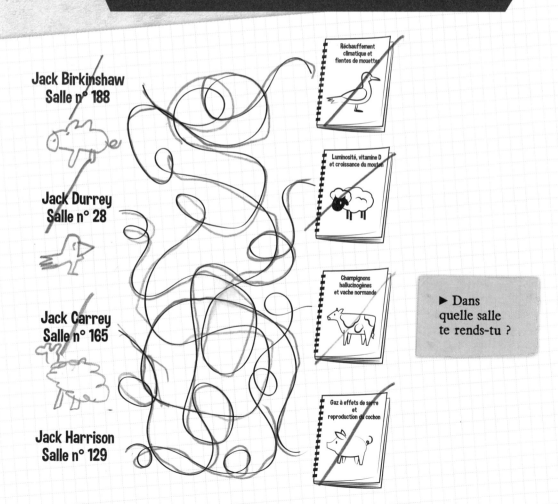

Jack Birkinshaw
Salle n° 188

Jack Durrey
Salle n° 28

Jack Carrey
Salle n° 165

Jack Harrison
Salle n° 129

Réchauffement climatique et fientes de mouettes

Luminosité, vitamine D et croissance du mouton

Champignons hallucinogènes et vache normande

Gaz à effets de serre et reproduction du cochon

▶ Dans quelle salle te rends-tu ?

n° 22

Tu as peut-être oublié de compter un pont ?

▶ **Perds un point d'enquête et retourne au n° 52.**

n° 23

La porte s'ouvre sur une grande pièce souterraine. Sur ta gauche, des rangées d'animaux silencieux, enfermés dans des cages. Vu le nombre, tu ne viens pas seulement de retrouver les animaux disparus du zoo ! À droite, des étagères remplies d'armures rangées par taille. Ainsi, ils ont vraiment constitué une armée... Au fond, la pièce continue sur la droite. Tu entends un homme qui fait un discours. Il marque une pause, et tout à coup une lumière aveuglante et multicolore remplit la pièce : la grande machine a été mise en route ! Il faut que tu saches si l'expérience a réussi,

mais tu n'as pas envie de te trouver nez à nez avec un tigre géant ! Si tu connectes ta voiture télécommandée avec caméra à ton téléphone, tu pourras la diriger et voir ses images en direct depuis ton portable. Pour cela, l'application te demande les 8 premiers chiffres de « regarde et dis ». Il s'agit d'une séquence logique où il faut regarder les chiffres écrits, dire à voix haute (mais ici, à voix basse sera plus prudent !) ce qu'on voit, et noter ce qu'on dit. Par exemple : 222. On dira : *« trois, deux »* donc on écrit *32*, qu'on lira *« un, trois, un, deux »* donc *1312*.

Le premier chiffre est *1*. Continue la suite jusqu'à ce que tu arrives à 8 chiffres.

▶ **Si le dernier chiffre est *1*, va au n° 166.**
▶ **Si le dernier chiffre est *2*, va au n° 106.**

C'était bien l'anagramme de Colomba Fond. Un monsieur un peu âgé s'assure poliment que ton voyage en train s'est bien passé. Il te tend une enveloppe.

« Lady Colomba Fond m'a demandé de vous donner ceci.
Votre voiture vous attend dehors, prenez celle qui n'a pas son double. »

► **Rends-toi au paragraphe dont le numéro figure sur la plaque d'immatriculation de la voiture que tu prends.**

n° 25   Tu as dû regarder l'arbre dans le mauvais sens.

► **Perds un point d'enquête et retourne au n° 75.**

Oui, le gorille a bien été enlevé ! Pour la loutre, tu n'avais rien vu, mais c'est normal, elles n'arrêtent pas de bouger. Le directeur est atterré. Il ne trouve rien sur les vidéos de surveillance de la nuit précédente, elles ont été trafiquées. Tu proposes de vérifier celles du parking, et là, vous voyez des individus masqués qui mettent un très grand sac dans une camionnette du zoo ! Le directeur reconnaît l'uniforme du zoo, il y a donc un complice dans son équipe... D'après l'heure de la caméra, ça s'est passé à cinq heures du matin. Donc le coupable est celui qui a fait le dernier tour de garde. Il y a eu cinq gardiens cette nuit. Le directeur, en recoupant les vidéos enregistrées, relève que :

- 🏆 Arthur est passé avant Roger.
- 🏆 Penelope est passée avant Matthew, mais après John.
- 🏆 Matthew est passé après Arthur, mais avant Roger.
- 🏆 John est passé après Arthur.

Trouve quel garde est passé le dernier et a participé à l'enlèvement du tigre.

Note ici ta réponse :

.... Roger ....

▶ **Le prénom du coupable a un nombre impair de lettres, va au n° 169.**

▶ **Le prénom du coupable a un nombre pair de lettres, va au n° 126.**

Chez Sherlock Holmes

C'est son acolyte qui te reçoit, le docteur Watson, dont le visage ouvert et l'œil curieux t'inspirent confiance.
« Bonjour. Miss Lestrade nous a prévenus de votre venue, mais pas des vols, ça, nous étions déjà au courant. Rien ne nous échappe ! M. Holmes doit reposer sa voix encore une heure, il ne parlera pas. Et essayez d'être rapide, il ne supporte pas les esprits lents. »
Une lampe éclaire le visage anguleux de Sherlock Holmes. Tu lui montres la photo que tu avais prise des traces sur le toit à la tour de Londres, c'est la seule piste concrète que tu as. Il regarde attentivement, prend un catalogue épais et te montre une image de drone. Bien sûr, ce sont les traces de décollage d'un drone !

Sherlock Holmes commence à faire des signes avec les mains. Tu connais cet alphabet... Vite, décode le message avant que le détective perde patience !

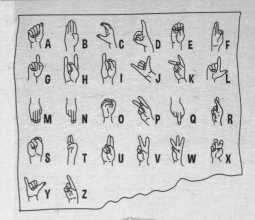

Watson commente : « En effet, ce bateau militaire utilise de nombreux drones. Appelez-nous si vous avez besoin à nouveau de notre aide. Je vous donne un autre nom : Dan Philips. Il ne sort jamais de chez lui, mais est très actif sur Internet. C'est une précieuse source d'informations. » Regarde les fiches de tes deux nouveaux indicateurs : Sherlock Holmes et Dan Philips.

Regarde sur la carte pour trouver le bateau militaire : c'est ta prochaine destination !

n° 28

Le rapport entre les deux t'intrigue, mais tu n'as pas le temps d'assouvir ta curiosité.

▶ **Perds un point d'enquête et retourne au n° 21.**

---

n° 29

Que de temps perdu ! Il est peut-être arrivé par là, mais reparti par ailleurs.

▶ **Perds un point d'enquête et retourne au n° 47.**

---

n° 30

« Ça ne va pas se passer comme ça, James ! » crie-t-elle, mais son apprenti a disparu. « Vous l'avez fait fuir. Je ne sais pas dans quoi il trempe, mais si vous voulez le retrouver, ses amis et lui traînent souvent dans un passage sous les voies de la gare de Waterloo, appelé le Banksy Tunnel. Ils y peignent une fresque militante avec des animaux. Je n'ai pas bien compris contre quoi ils militent, ils sont totalement décalés dans leurs propos. C'est à 16 minutes à pied d'ici, au sud-ouest. »

> Avec toutes ces indications, trouve le Banksy Tunnel sur la carte et rends-toi au numéro du drapeau que tu y trouves.

---

n° 31

Une fois les lattes remises dans le bon ordre, tu entends un déclic et une trappe s'ouvre. Dans cette cachette, tu trouves une manivelle, un petit flacon d'huile et un dessin que tu ne comprends pas : les plans d'une machine complexe. Tu reviens sur la machine et places la manivelle à l'emplacement qui te semble correspondre. Avec la manivelle, tu fais tourner un engrenage et un nuage odorant s'échappe par l'une des ouvertures, en direction du cube en miroirs. Tu ouvres le flacon : l'huile sent la même odeur ! Mais cela ne t'avance pas vraiment. Tu as besoin d'aide pour trouver à quoi sert cette machine. Qui peux-tu appeler, qui a des connaissances et une mémoire très étendues ?

COLOMBA
FOND
nº **2**

DAN PHILIPS
nº **58**

SHERLOCK
HOLMES
nº **119**

---

nº 32

Non, les empreintes en boucle
sont les plus courantes : 60 à 65 %
de toutes les empreintes.

▶ **Perds un point d'enquête
et retourne au nº 116.**

---

nº 33

Ensuite, tu n'as rien remarqué
jusqu'aux zèbres, même pas
un pingouin dansant !
D'après le panneau, il y a neuf
spécimens dans ce troupeau,
mais les animaux se collent
tellement les uns aux autres
que c'est difficile de confirmer
qu'ils sont tous là.

Combien y a-t-il de zèbres ?

. . . . **8** . . . .

▶ **Tu en comptes huit,
rends-toi au nº 157.**

▶ **Tu en comptes neuf,
rends-toi au nº 192.**

n° 34

L'araignée s'agite, ce n'est pas bon.

▶ **Perds un point d'enquête et retourne au n° 5.**

n° 35

Ils continuent à te refuser l'accès, tu devrais mieux regarder la grille.

▶ **Perds un point d'enquête et retourne au n° 10.**

n° 36

Le repaire du voleur

Tu as tourné les 2 roues du gouvernail du bon nombre de crans, entendu un déclic et il t'a suffi de tirer dessus pour ouvrir une porte cachée ! Tu entres dans une petite bibliothèque avec des tableaux aux murs, des portraits de famille très anciens, et l'arbre généalogique d'une famille qui doit être noble (tu y vois un blason !). Tu examines la bibliothèque, et soudain une voix sur ta gauche te fait sursauter ! Tu te tournes en t'attendant à avoir de gros ennuis, mais c'est un perroquet dans une cage. Il répète en boucle une phrase incompréhensible. Tu regardes sur sa cage : il y a une carte postale de l'île de Java. Il parle donc javanais ! Décode son message.

« L'avilave avau travésavor, avoù avest l'avilave avau travésavor ? »

Si le perroquet répète ce que dit son maître, c'est peut-être utile pour toi. Pour comprendre le javanais, enlève tous les « av ».

Que décides-tu de regarder de plus près après l'avoir déchiffré ?

▶ Les titres des livres de la bibliothèque, va au n° 50.
▶ Le coffre posé sur la commode, va au n° 85.

Note ici la phrase que tu trouves :

« L'île au trésor, où est... l'île au trésor ? »

n° 37

Hmm. Maintenant que tu vois le portrait entier, ce n'est plus si ressemblant. Ressaie.

▶ **Perds un point d'enquête et retourne au n° 91.**

---

n° 38

Pont de Hungerford

Oui, c'est ça, il a bien sauté depuis ce pont où circulent des trains et des piétons.

> Trouve maintenant quel bâtiment peut être Scotland Yard, à 7 minutes d'ici vers le sud, et va directement au numéro de son drapeau.

---

n° 39

La couronne impériale comporte un diamant trois fois plus gros, le Cullinan II, aussi appelé la « Deuxième Étoile d'Afrique », car ils faisaient au départ partie de la même pierre.

▶ **Perds un point d'enquête et retourne au n° 92.**

n° 40   London Eye

L'inspectrice Lestrade t'attend devant le London Eye, vous avancez ensemble jusqu'à une cabine qui vous est réservée et commencez l'ascension. « Il faut quand même que vous fassiez un peu de tourisme pendant votre séjour !
Et dès que nous serons à mi-hauteur, nous pourrons parler sans être entendus par qui que ce soit. »
Tu essaies de profiter de la vue sur la Tamise et Londres, mais tu as un peu le vertige. Un panneau d'information t'indique que la roue fait 135 mètres de hauteur, qu'elle tourne à la vitesse de 12,50 mètres par minute environ, et qu'un tour complet dure 30 minutes.

> Peux-tu calculer dans combien de temps tu pourras enfin parler de l'enquête avec Lestrade ?

Note ici ton calcul et le résultat :
....
....

▶ **Tu pourras parler dans moins de huit minutes, va au n° 53.**

▶ **Tu pourras parler dans huit minutes ou plus, va au n° 45.**

---

n° 41

Les gardes royaux semblent agacés, ce n'est pas le mot de passe.

▶ **Perds un point d'enquête et retourne au n° 10.**

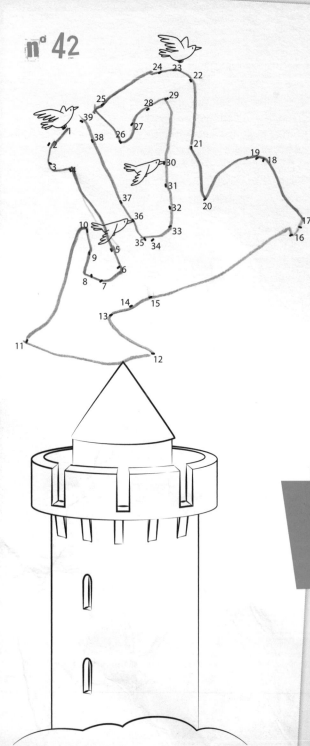

C'est bien la couronne de la Reine Mère qui a été subtilisée. La couronne impériale n'est pas ici, car elle doit servir bientôt pour le discours de la Reine au Parlement. La couronne de saint Édouard et le sceptre vont être déplacés dans deux lieux différents. Lestrade te propose de suivre avec elle le convoi qui déplace le sceptre : « Ainsi nous pourrons continuer à parler de l'enquête en chemin. » En sortant, vous passez devant les gardes royaux, parfaitement immobiles. Tu t'es toujours demandé comment ils faisaient pour rester ainsi sans bouger. Est-ce une tige, comme le tuteur d'une plante, ou des fils, comme sur une marionnette ? Au moment où tu essaies de regarder discrètement dans leur dos, l'un d'eux bouge pour faire signe à l'inspectrice Lestrade. Il montre discrètement le ciel du doigt : les oiseaux, en volant, forment une figure étrange, comme s'ils essayaient de communiquer.

Lestrade explique : « Les six corbeaux de la tour sont des soldats de la Reine, car la légende dit qu'ils gardent le palais et la couronne. Cette figure dans le ciel est vraiment surprenante ! Allons voir de plus près. »

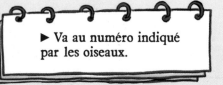

▶ **Va au numéro indiqué par les oiseaux.**

Tu arrives au Shakespeare Globe. Ce théâtre est une reproduction à l'identique de celui dans lequel le grand écrivain William Shakespeare a joué ses pièces de théâtre. Il y a une représentation en cours : le décor du balcon et les répliques célèbres te rappellent quelque chose... Une jeune femme en costume marche parmi les spectateurs et distribue des fleurs : regarde-la sur l'image précédente !

> Sur la feuille de la fleur qu'elle te donne, il y a un rébus !
> Est-ce un indice pour toi ?

Note ici ta réponse :

. . . .

. . . .

▶ **Va au n° 104 lorsque tu l'auras résolu.**

n° 44

« Ce n'est vraiment pas mon rayon, ces affaires-là », soupire Colomba Fond.

▶ **Perds un point d'enquête et retourne au n° 165.**

n° 45

Le calcul est plus simple qu'il n'y paraît.

▶ **Perds un point d'enquête et retourne au n° 40.**

L'officier est désolé, mais il ne peut pas être plus précis. À ce moment-là, tu reçois un appel téléphonique du Maître des Corbeaux de la tour de Londres : « À Scotland Yard, ils n'ont pas le temps pour moi, ils m'ont dit de vous appeler. Merlin, un de mes corbeaux, manque à l'appel. L'émetteur GPS de sa bague me dit où il est, et je m'inquiète, il est vraiment parti très loin, puis là il ne bouge plus.

Soit il lui est arrivé malheur, soit il monte la garde. Vous ne voudriez pas aller voir pour moi ? »
Son histoire t'intrigue : les corbeaux ont permis de découvrir le drone, est-ce que Merlin l'a suivi ? Tu acceptes d'y aller.
L'officier t'envoie les données de localisation par texto : le corbeau est à 23 minutes de la tour de Londres et 37 minutes de la gare de Saint-Pancras.

> Utilise ta règle et la carte pour trouver où est le corbeau, sans oublier ce que le radar t'a appris. Vas-y le plus vite possible.

Décidément, le protocole royal est très étrange ! Le discours de la Reine se termine enfin, elle se lève et se dirige vers la sortie. Tu fais partie de l'épais cortège de personnel de sécurité qui la protège, nul ne peut l'approcher. Et d'un seul coup, à la vitesse de l'éclair, un homme descend du plafond tel une araignée. Il arrache la couronne de la tête de la Reine et repart par les airs, aussi vite qu'il est venu ! Tu réagis aussitôt et te lances à ses trousses, mais le temps que tu arrives dans la cour, il n'est déjà plus là. Pourtant, un policier n'était pas loin, malheureusement il n'a rien vu ni rien entendu d'anormal.

D'après toi, de quel côté est-il parti ? Regarde bien l'image.

▶ Rends-toi au numéro de ton choix pour poursuivre le voleur.

n° 86

n° 202

n° 29

« Non, aucun de mes contacts sur les différents réseaux ne m'a parlé de ça, désolé », regrette Dan Philips.

▶ Perds un point d'enquête et retourne au n° 84.

nº 49

Tu fais preuve de courage en affrontant l'odeur et l'humidité. Ne te perds pas.

▶ **Perds un point d'enquête et retourne au nº 202.**

---

nº 50

Il y a bien un exemplaire du célèbre livre de R.L. Stevenson, *L'Île au trésor*, sur les étagères. Tu essaies de le sortir mais au lieu de cela, le livre bascule vers l'avant et la bibliothèque glisse vers la gauche pour révéler une porte ! Elle est fermée par un cadenas à code. Pour l'ouvrir, il te faut 4 chiffres. Alors que tu cherches autour de toi un indice pour le trouver, le perroquet dit :

> « Lava navaissavancave dave mavon génavialaval avancavêtre avouvrave tavoutaves laves pavortaves. »

As-tu compris ce que tu dois trouver ?
Note ici ta réponse :

« La naissance de mon génial ancêtres ouvre toutes les portes. »

▶ **Va au nº 16 regarder de plus près les portraits sur le mur.**

---

nº 51

Tu perds un point d'enquête.

▶ **Tu devrais regarder à nouveau le radar de l'officier au nº 97, ou relire le texto au nº 46.**

Le Tower Bridge est un pont à bascule qui se lève pour laisser passer les gros bateaux ! L'inspectrice revient enfin et met le moteur en route, direction Scotland Yard. La ville est incroyable, vue de la Tamise ! Tu lèves la tête, les piétons vous font coucou.

Tout à coup, l'un d'eux saute par-dessus la balustrade et atterrit sur votre bateau ! Déséquilibrés, l'inspectrice et toi tombez à l'eau ! Le voleur prend les commandes du bateau et repart mais tu as le temps de voir son visage hilare. L'inspectrice t'explique que le voleur vient de partir avec le sceptre : « Les fourgons blindés étaient un leurre, avec des pièces de moindre valeur, c'est nous qui transportions secrètement le sceptre royal. »
Vous nagez jusqu'à la rive. L'inspectrice va poursuivre le voleur avec un autre bateau : « Je vous retrouve directement à Scotland Yard ! Allez jusqu'au pont d'où il a sauté, c'est ensuite à 7 minutes à pied vers le sud. »

Regarde sur le plan et trouve le pont où tu dois te rendre. Depuis votre départ de la tour de Londres et avant que le piéton saute, tu te souviens d'être passé sous cinq ponts.

Quand tu as trouvé, rends-toi au numéro du pont où tu penses être.

Oui, l'inspectrice t'a fait attendre 7 minutes et 30 secondes pour pouvoir parler, car la mi-hauteur, c'est un quart du trajet. Il suffisait de diviser 30 minutes par 4. Tu expliques tes découvertes à Lestrade : le corbeau, l'atelier à Shoreditch, la machine, le dessin d'animaux en armure, le projet secret ARMY. Lestrade se laisse convaincre par les découvertes que tu as faites avec les scientifiques.

Tu continues : « Regardez, j'ai trouvé les plans d'une machine moderne, dix fois plus grande, et qui, pour fonctionner, nécessite la réunion d'un trio de diamants très précis. Cela explique les vols de la couronne de la Reine Mère et du sceptre pour récupérer le Kohinoor et la Grande Étoile d'Afrique. Le dernier qui lui manque est le Cullinan II, il orne la couronne impériale... »

Lestrade réfléchit : « La couronne impériale n'était pas à la tour de Londres, car elle doit bientôt servir pour le discours de la Reine à l'ouverture du Parlement. Mais je ne sais plus quel jour c'est. Je n'ai pas de réseau, et vous ? »
Tu regardes les réseaux wifi disponibles sur ton téléphone, il n'y a que le réseau « London Eye », verrouillé par un mot de passe. Tu tentes un vieux truc : tu prends LONDONEYE et tu remplaces autant de lettres que possible par les chiffres qui leur ressemblent, si on les lit en tenant une calculatrice à l'envers.

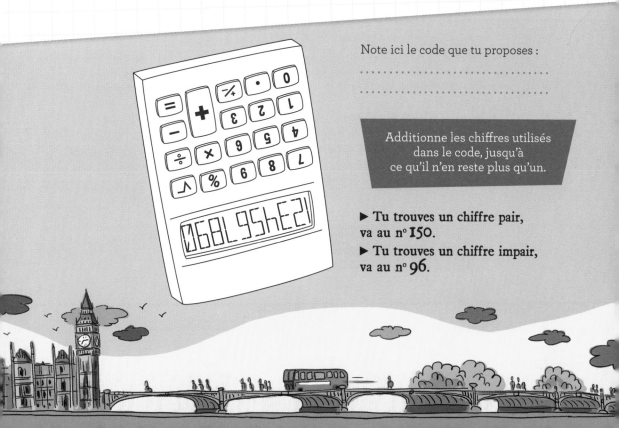

Note ici le code que tu proposes :

....

....

Additionne les chiffres utilisés dans le code, jusqu'à ce qu'il n'en reste plus qu'un.

▶ **Tu trouves un chiffre pair, va au n° 150.**

▶ **Tu trouves un chiffre impair, va au n° 96.**

n° 54

Tu perds du temps à naviguer entre les allées de la boutique, encombrées de piles d'assiettes et de services en porcelaine posés en équilibre un peu partout. Tu inspectes tout sans rien trouver.

▶ **Perds un point d'enquête et retourne au n° 185 pour mieux déchiffrer les rébus.**

---

n° 55

Tu as pris l'escalier qui monte, tu te retrouves dans un amphithéâtre. La conférence cherche à comprendre si le chat peut à la fois être un solide et un liquide.

▶ **Perds un point d'enquête et retourne au n° 98.**

---

n° 56

Dans le taxi

C'est très spacieux, l'intérieur d'un taxi anglais : on pourrait y organiser un anniversaire ! Le chauffeur te tend un papier, de la part de « Lady Fond », avec un texte codé. Comment le déchiffrer ? Tu ouvres l'enveloppe que l'homme de la gare vient de te remettre – oui, on dirait bien la clef du code. Colomba prend beaucoup de précautions !

L1 CRNN4
D1 L1 RN3 1
T2 VL3. V1
1 L1 TR2 D1
LNDRS2, 2
BRD1 D1 L1
TMS3.

J'ai enlevé les voyelles des mots. À la fin de chaque mot, j'ai écrit le nombre de voyelles qu'il contenait. Par exemple, LIVRE, c'est LVR2.

Décode le message de Colomba en utilisant les deux messages.

Note ce que tu as découvert : *la tour de Londre*

En effet, quelle affaire ! Tu comprends mieux le secret dont s'entoure Colomba. Il faut faire vite, mais ton chauffeur ne te comprend pas à cause de ton accent français ! Tu dois lui montrer sur la carte de Londres où tu veux aller.

> **Tu te souviens avoir appris que le lieu dont te parle Colomba est un peu médiéval. Si tu devais y aller à pied, il te faudrait 55 minutes. Cherche-le sur la carte.**

▶ Tu te trouves à Saint-Pancras, drapeau nº **56**. Le taxi t'emmène au numéro écrit sur le drapeau de ta destination.

---

nº 57

Tu dois utiliser le protocole sécurisé de Scotland Yard pour appeler Lestrade, afin que les communications ne soient pas interceptées. Tu composes le numéro du serveur que Lestrade t'a donné, celui-ci te renvoie un message qui te demande de t'identifier et de donner ton code secret.
Tu essaies de te souvenir de ton code – c'est ton année de naissance, suivie d'un chiffre.

> Pour retrouver ce chiffre, c'est facile : tu prends ton âge, tu le multiplies par 2, tu ajoutes 40, tu le divises par 2, et tu retires le chiffre du départ (ton âge).

Note ici ton calcul et le chiffre que tu trouves :

▶ **Rends-toi au paragraphe indiqué par ce chiffre.**

. . . .

---

nº 58

« Non, aucun de mes contacts sur les différents réseaux ne m'a parlé de ça, désolé », regrette Dan Philips.

▶ **Perds un point d'enquête et retourne au nº 3I.**

---

nº 59

Tu n'as pas vraiment fait attention !

▶ **Perds un point d'enquête et retourne au nº 70.**

LUNDI. 13 H 15.

Quartier de Shoreditch

Incroyable, le corbeau semble au garde-à-vous. Il attendait ton arrivée et s'envole dès que tu le remercies de la tête. Un vrai soldat de Sa Majesté ! Tu te trouves devant une fresque murale remarquable, qui représente un magnifique quatre-mâts toutes voiles dehors. Tu ne vois aucune porte mais, d'après le corbeau, c'est ici. En regardant de plus près le gouvernail, ses cercles sont en relief et mobiles, il y a même des crans autour.

> Trouve de combien de crans tu dois tourner
> les 2 roues. Ces deux chiffres forment
> le numéro où tu dois te rendre.

Tu ne trouves pas la réponse ?

▶ Va au n° **68** pour regarder de plus près.

— ∾ —

n° 61

Non, les empreintes en tourbillon ne sont pas rares : elles représentent 30 à 35 % de toutes les empreintes.

▶ **Perds un point d'enquête et retourne au n° 116.**

— ∾ —

Chippy's

À l'adresse indiquée, tu trouves un petit restaurant décoré de nombreux drapeaux anglais. Tu commandes le célèbre *fish and chips*.

Remets les lettres dans l'ordre pour connaître les ingrédients de ce plat. Puis place-les dans la grille : les lettres grises te diront quelle espèce de poisson tu vas manger.

INEFAR   LEIUH
UEFSO   OSSOPIN
REEIB   SETIRF

▶ Le mot que tu as trouvé commence par un T, va au n° **164**.

▶ Le mot que tu as trouvé commence par un R, va au n° **75**.

n° 63 1er dragon

Lorsque tu commences à examiner la première statue de dragon de ton parcours, un homme avec une couronne des rois sur la tête s'approche de toi : « Vous avez résolu la première énigme. Qu'avez-vous à me montrer ? » Après un bref moment de panique, tu sors le jeton avec le dessin de couronne, et lui montres. Il te tend un petit papier.

« Toi qui veux suivre le *touvmeehm*, trouve la solution à cette éignem, si tu parviens au bout des vérpeues, tu mériteras de faire partie de Royal mAinal. Ta pr_ch_in_ pétae est le gadorn l_ pl_s au dron. »

MOUVEMEH

Cherche sur ta carte la destination indiquée dans le message et rends-toi à ce numéro.

---

n° 64

« Ce n'est vraiment pas mon rayon, ces affaires-là », soupire Colomba Fond.

▶ Perds un point d'enquête et retourne au n° 189.

---

n° 65

« Je n'encombre pas mon cerveau avec des sujets inutiles », te répond Sherlock.

▶ Perds un point d'enquête et retourne au n° 170.

À la tour de Londres

Tu as réussi, le chauffeur te dépose devant ce château en pierre grise protégé par des douves et des murailles. Tu ne vois aucun policier et, pour rejoindre l'équipe de l'enquête, tu dois acheter un billet. Tu regardes le plan, mais il ne possède aucune légende, il n'y a que des chiffres. Tu demandes donc à un groupe de touristes français où se trouvent les joyaux de la Couronne.

L'un te répond : « Aujourd'hui, cette salle est fermée au public, mais j'y suis allé l'année dernière, et c'était un chiffre impair. »

Un deuxième dit : « Oui, nous étions un groupe de vingt et un, et on pouvait nous diviser par le chiffre de la salle. Nous faisions plein de calculs pour tuer le temps dans la file d'attente. »

Et un dernier rajoute : « Rappelle-toi, quand on était dans la salle, trois personnes se sont rajoutées et on pouvait toujours nous diviser par ce chiffre. »

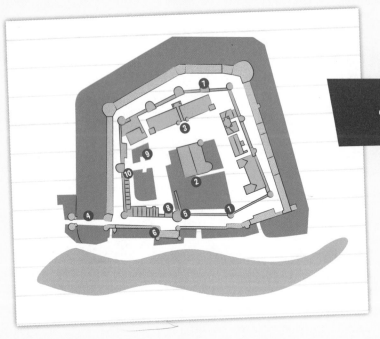

Quel est le numéro
de la salle des joyaux
de la Couronne ?

▶ Tu trouves un chiffre plus petit que 5, va au n° **10**.

▶ Tu trouves un chiffre plus grand que 5, va au n° **72**.

n° 67

Le professeur Bent examine encore les diamants et s'arrête sur le plus gros des trois. « 55 carats, et cette forme d'ovale pointu à un bout, ça ne peut être que le Sancy. Étrange, je le pensais au Louvre... Mais il a fait partie des joyaux de la Couronne britannique. Regardons les formes des autres. Elles sont visiblement importantes pour la machine : les emplacements sont très précis, et l'alignement des miroirs ne semble pas laissé au hasard... Étonnant, ces diamants font 10, 30 et 55 carats. À quelques carats près, je trouve trois diamants très célèbres en dix fois plus gros ! »

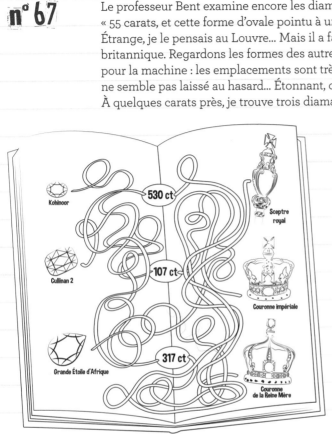

Tu repenses alors au dessin que tu avais trouvé dans la cachette à Shoreditch. Il ressemble vraiment aux plans d'une version moderne et dix fois plus grosse de la machine. Tu connais la prochaine cible des voleurs : celui des trois joyaux qui n'a pas encore été dérobé !

Note ici la prochaine cible :

. . . .

. . . .

Il faut que tu avertisses Lestrade.

▶ **Rends-toi au n° 57.**

---

n° 68

Regarde bien la fresque, tu vois comme un code : le gouvernail en deux parties, et deux voiles du bateau.

Combien y en a-t-il de chaque sorte sur l'image principale ? Le résultat te donne les 2 chiffres du code (respecte l'ordre des cercles – petit et grand).

Note ici ta réponse :

. . . .

▶ **Retourne au n° 60.**

Ce n'est pas le bon chiffre.

▶ **Retourne au n° 83.**

n° **70**

Tu remontes à la surface à Trafalgar Square, ébloui par la lumière brutale du jour, et te fais cueillir par deux policiers. Avec ta corde à la main, ils te prennent pour le voleur ! « Où pensez-vous aller ainsi ? On vient de nous donner le signalement d'une jeune personne s'enfuyant avec des cordes. »

Si tu veux qu'ils te lâchent, tu dois justifier que ce n'est pas toi le voleur.

Tu racontes tes aventures depuis la veille.

« Si tout ce que vous prétendez est juste, vous saurez répondre à nos questions :

- 🏆 De quelle couleur est la robe des lords ? **1.** Bleue **2.** Rouge
- 🏆 Où habite Sherlock Holmes ? **1.** Baker Street **2.** Butcher street
- 🏆 Comment a voyagé la couronne avant la cérémonie ?
  1. Sur la tête de la Reine.
  2. Dans un carrosse à part. »

Note ici les numéros de tes réponses :

....

▶ **Tu réponds 2I2, va au n° 4.**
▶ **Tu as trouvé I2I, va au n° 59.**

n° 71

Dan Philips décroche et te rassure aussitôt : « Oui, Sherlock m'a parlé de vous, je vais vous aider. *Royal Animal* et *Jack Carrey* ça me dit quelque chose… Je me souviens ! Il y a quelques années, les gens s'envoyaient une vidéo avec votre professeur debout sur une chaise, en train de crier très fort contre Royal Animal. C'était drôle parce qu'il portait une couronne en papier bizarre sur la tête et une veste en peau de mouton retourné. Il a parlé d'un projet *Alfa Romeo Mike Yankee* en disant que c'était un scandale et que tous les membres avaient été trompés. Tiens, c'est bizarre, impossible de vous retrouver cette vidéo, quelqu'un l'a fait disparaître. Bref, il milite contre eux aujourd'hui. Dites-lui que vous œuvrez dans le même sens. »

▶ **Tu penses que le projet ayant semé la discorde est en relation avec des véhicules, va au n° 93.**
▶ **Tu penses que ce projet a à voir avec une armée, va au n° 153.**

— ෴ —

n° 72

Humm, non, ton calcul ne doit pas être bon.

▶ **Retourne au n° 66.**

— ෴ —

n° 73

Rappelle-toi, tu n'es pas passé sous le Tower Bridge.

▶ **Perds un point d'enquête et retourne au n° 52.**

— ෴ —

n° 74 4ᵉ dragon

Tu te retrouves au pied du dragon le plus à l'est de la carte. Encore une énigme, cette fois tu la trouves sur un papier froissé, coincé dans la bouche de la statue. Toutes les voyelles ont disparu !

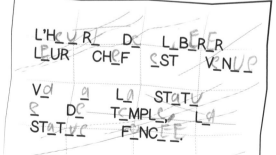

L'H_UR_ D_ L_B_R_R
L_UR CH_F _ST V_NU_

V_ _ L_ STAT_U
_ D_ T_MPL__ L_
STAT__ F_NC__.

Cherche où aller sur ta carte.

C'est très bon, la raie ! Le petit filet de vinaigre relève le goût du poisson frit. C'est servi dans un papier journal, avec un quiz sur la famille royale. Tu te dis que c'est pile le bon moment pour réviser tes connaissances !

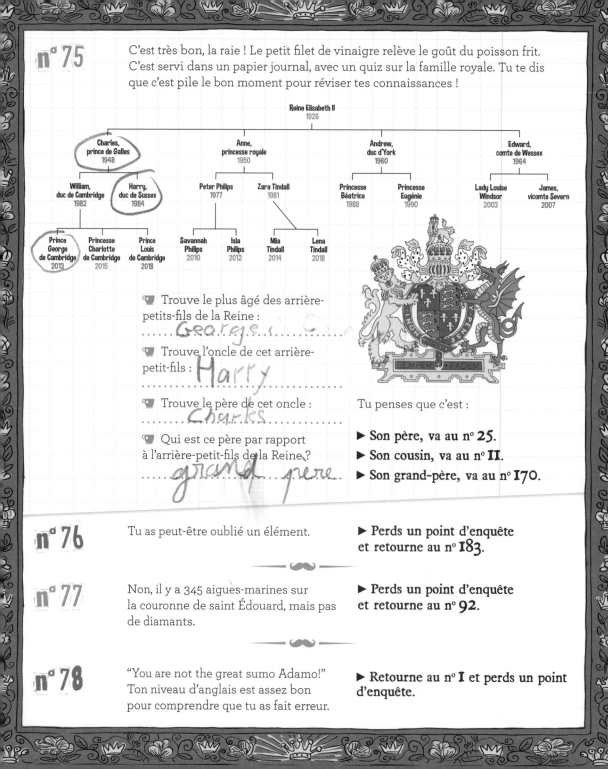

Reine Elisabeth II
1926

Charles, prince de Galles 1948
Anne, princesse royale 1950
Andrew, duc d'York 1960
Edward, comte de Wessex 1964

William, duc de Cambridge 1982
Harry, duc de Sussex 1984
Peter Philips 1977
Zara Tindall 1981
Princesse Béatrice 1988
Princesse Eugénie 1990
Lady Louise Windsor 2003
James, vicomte Severn 2007

Prince George de Cambridge 2013
Princesse Charlotte de Cambridge 2015
Prince Louis de Cambridge 2018
Savannah Philips 2010
Isla Philips 2012
Mia Tindall 2014
Lena Tindall 2018

Trouve le plus âgé des arrière-petits-fils de la Reine :
...... George ......

Trouve l'oncle de cet arrière-petit-fils : Harry

Trouve le père de cet oncle :
...... Charles

Qui est ce père par rapport à l'arrière-petit-fils de la Reine ?
...... grand père

Tu penses que c'est :

▶ Son père, va au n° 25.

▶ Son cousin, va au n° II.

▶ Son grand-père, va au n° 170.

---

n° 76

Tu as peut-être oublié un élément.

▶ Perds un point d'enquête et retourne au n° 183.

---

n° 77

Non, il y a 345 aigues-marines sur la couronne de saint Édouard, mais pas de diamants.

▶ Perds un point d'enquête et retourne au n° 92.

---

n° 78

"You are not the great sumo Adamo!" Ton niveau d'anglais est assez bon pour comprendre que tu as fait erreur.

▶ Retourne au n° I et perds un point d'enquête.

Dans les vitrines du célèbre magasin de jouets Hamley's, tu admires des peluches, des poupées, des voitures télécommandées, certaines sont même équipées de caméras. C'est exactement ce qu'il te faut ! Avec la caméra, tu dirigeras la voiture et tu pourras tout voir sans te mettre en danger. Tu n'oublies pas les piles. Au rayon des déguisements, tu choisis un bouclier de chevalier en bois, on ne sait jamais. Tu te rends compte que tu n'as plus assez de livres sterling pour payer, mais la caissière te propose de payer en euros.

30 £

25 £

4 £

Une livre sterling (ou £) vaut environ 1,15 euro. Tu donnes 70 euros à la dame, et elle te rend moins d'1 euro de monnaie.

▶ Tu penses qu'il y a le compte, rends-toi au n° **181**.

▶ Tu penses qu'elle s'est trompée et qu'elle te doit plus d'argent, rends-toi au n° **201**.

Tu arrives dans le tunnel et cherches une fresque qui pourrait être en rapport avec des animaux. Tu en trouves une très particulière : les animaux portent une armure, on dirait qu'ils forment une armée. La couronne dans la signature te refait penser à la couronne des rois trouvée à la tour de Londres... il semble bien que tu sois sur la bonne piste ! Mais la signature est bizarre, ces lettres ne forment aucun mot ! Et puis, tu repenses aux paroles de la costumière : « Ils sont totalement décalés », serait-ce une clef de lecture ?

> Essaie de déchiffrer cette signature en remplaçant peut-être les lettres par d'autres avant ou après dans l'alphabet.

Tu as déchiffré deux mots anglais :

. . . .

▶ Ces deux mots existent aussi en français, va au nº **84**.
▶ Un seul des deux mots existe aussi en français, va au nº **14**.

---

nº 81

Tu n'as pas vu assez grand.   ▶ **Retourne au nº 83.**

---

nº 82

Le sceptre royal n'est pas une couronne.   ▶ **Perds un point d'enquête et retourne au nº 92.**

n° 83 — Tower Bridge

Vous sortez de la tour de Londres directement sur les rives de la Tamise, et l'inspectrice te mène jusqu'à une vedette de la police. En voyant ta surprise, elle t'explique que les fourgons blindés se rendent à Scotland Yard mais que vous allez les devancer en bateau par le fleuve, c'est plus rapide. Elle te demande de l'attendre, elle a oublié quelque chose dans la tour.

Tu enfiles ton gilet de sauvetage et regardes les bateaux passer, ils sortent de la ville et s'apprêtent à passer sous le Tower Bridge. Les petites vedettes et les canots vont passer sans problème. Mais les autres sont trop hauts, ils vont sûrement faire demi-tour, ou se transformer en sous-marins ?

> Quatre bateaux naviguent vers le pont.
> Combien, à ton avis, vont réussir à passer dessous ?

- ▶ **Deux** : va au n° **81**.
- ▶ **Trois** : va au n° **69**.
- ▶ **Tous** : va au n° **52**.

---

n° 84

Oui, ils ont écrit ROYAL ANIMAL, mais comment savoir si c'est important ? S'ils font des graffitis illégaux, ils sont peut-être connus de la police. Et les street artistes voyagent souvent. Qui peut t'aider ?

COLOMBA
FOND
n° **140**

DAN PHILIPS
n° **48**

SHERLOCK
HOLMES
n° **118**

n° 85

Le coffre renferme du papier,
des crayons et une gomme
en forme de licorne.

▶ Perds un point d'enquête
et retourne au n° 36.

---

n° 86

Personne dans la foule ne l'a vu.

▶ Perds un point d'enquête
et retourne au n° 47.

---

n° 87

Oui, normalement c'est bien l'oie,
la plus grosse volaille. Pourtant, tu as
sous les yeux un canard et une oie,
et c'est clairement le canard le plus
gros ! Peut-être une race spécifique ?
Une soigneuse vient t'expliquer :
« Non, les canards de cette race sont
plutôt petits. Lui, personne ne sait
d'où il vient. Un matin, je suis arrivée
et il était là. Je l'ai appelé "Nounours" :
il n'arrête pas de faire des câlins. »
Tu lui expliques ton intérêt
pour les moutons et la lanoline.
Sur le chemin de leur enclos,
elle te donne un dépliant avec la liste
de ses produits, leur prix et l'histoire
de sa ferme. « J'ai élevé beaucoup
de moutons de races différentes,
seulement des races rares. Toutes celles
que j'ai élevées sont dans le tableau,
mais la liste est piégée : elle contient
des races que je n'ai jamais élevées ici
car trop communes. »

Retrouve les races
présentes dans le tableau,
et entoure sur la liste
celles que la soigneuse
n'a pas élevées.

RACES DE MOUTONS

```
K K D N A L E Y R H
B L A C K F A C E P
T O I V E H C R O V
Y F E M N Y D R E O
K F S T E W T J L N
G U F N I L Y C U A
T S M C A R T J U M
V O K N L Z O S C O
R V D X M B S O A R
L I N C O L N A M C
```

Suffolk
Blackface
Shetland
Cheviot
Romney
Merinos
Romanov
Lincoln
Moorit
Portland
Castlemilk
Herdwick
Swaledale
Ryeland

▶ Si tu as entouré deux races, va au n° **197**.
▶ Si tu as entouré trois races, va au n° **136**.

n° 88

Un détail t'a échappé, Lady Cumbert-Jones est vigilante.

▶ **Perds un point d'enquête et retourne au n° 175.**

Bien vu, ton animal ne devait comporter ni la lettre *o* ni la lettre *i* ! Tu as franchi la barrière et on t'a donné un jeton avec un dessin de couronne. Tu participes au défilé et essaies d'écouter les conversations, mais rien d'intéressant ne se dit, tu perds du temps. C'est le moment de demander de l'aide à l'un de tes indicateurs.

Qui pourrait en savoir plus sur Animal Royal et cette manifestation, ce type d'événement de quartier ?

DAN PHILIPS
n° **130**

COLOMBA FOND
n° **99**

SHERLOCK HOLMES
n° **123**

LADY CALISTA CUMBERT-JONES
n° **110**

n° **90**

Pas facile de bien les reconnaître.

▶ **Perds un point d'enquête et ressaie au n° 16.**

À Scotland Yard

Tu arrives à Scotland Yard où tu entres sans problème car Lestrade avait prévenu de ton arrivée et donné ton signalement. On te donne d'abord de quoi te sécher puis on te propose de faire un portrait-robot du voleur. Tu as vu son visage très rapidement et tu n'es pas très sûr de te souvenir de ses traits.

Portrait 1   Portrait 2   Portrait 3

Voilà ce que te dit ta mémoire :

- 🍵 Pour le portrait 1, 1 partie sur 3 est juste.
- 🍵 Pour le portrait 2, 2 parties sur 3 sont justes.
- 🍵 Pour le portrait 3, 1 partie sur 3 est juste.

À quoi penses-tu que le portrait final va ressembler ?

▶ S'il est blond aux yeux bleus, avec un grain de beauté et une petite barbe, va au n° 37.

▶ S'il est brun, avec une moustache et les yeux marron, va au n° 102.

▶ S'il est roux avec les yeux bleus, une moustache et un grain de beauté, va au n° 116.

L'inspectrice Lestrade a peut-être raison de dire que le voleur est français, puisque la phrase que tu as décodée, « Dieu et mon droit » est dans ta langue ! Mais Lestrade t'explique : « C'est la devise de la monarchie britannique. Il se moque de nous ! Ça veut dire qu'on a une monarchie en carton ? » Lestrade est visiblement surprise et un peu vexée que tu aies déjà trouvé une piste. « Bravo, mais en même temps, c'est facile quand on connaît vos coutumes populaires. » Ce « bravo » t'encourage. Tu commences donc à poser des questions sur les joyaux de la Couronne et sur la pièce disparue. Lestrade te présente au joailler de la Couronne. L'homme est accablé mais t'explique : « Je ne peux hélas pas vous montrer les vraies pièces restantes, car nous les avons déjà déplacées dans un lieu encore plus sécurisé. Voici ce qu'il faut savoir à propos des plus importants joyaux de la Couronne. »

☕ L'une des couronnes n'a aucun diamant, les autres trésors en portent tous un très gros. En joaillerie, le carat représente le poids d'un diamant, et donc sa valeur.

☕ Le Kohinoor est un diamant de 105 carats, soit 2,12 carats de moins que le diamant qui orne la couronne impériale.

☕ La Grande Étoile d'Afrique est montée sur le sceptre.

☕ La couronne de la Reine Mère est ornée d'un diamant célèbre, mais ce n'est pas le plus gros.

Utilise le premier tableau pour y voir plus clair : place un O dans les cases où tu sais que l'information est vraie et un X dans celles où tu sais qu'elle est fausse et tu devrais réussir à tout identifier. Pour bien remplir le logigramme, à chaque fois que tu mets un rond parce que la valeur est juste, tu peux déduire où mettre des croix sur cette ligne et cette colonne, un peu comme dans un sudoku. Avec toutes ces informations, remplis ensuite le tableau bleu.

		DIAMANTS				POIDS DES DIAMANTS EN CARATS			
		Cullinan II	Grande Étoile d'Afrique	Pas de diamant	Kohinoor	0	105	317	530
COURONNE	de saint Édouard			◯	◯	◯			
	de la Reine Mère	◯			◯		◯		
	impériale	◯		◯				◯	
	Sceptre		◯						◯
POIDS DES DIAMANTS EN CARATS	0			◯					
	105				◯				
	317	◯							
	530		◯						

		DIAMANTS	CARATS	N°
COURONNE	de saint Édouard	Pas de diamant	0	n° 77
	de la Reine Mère	Kohinoor	105	n° 42
	impériale	Cullinan II	317	n° 39
	Sceptre	Grande Étoile d'Afrique	530	n° 82

La couronne qui a été volée porte le Kohinoor. As-tu trouvé laquelle c'était ?

Note ici ta réponse : de la reine mère

▶ **Lorsque tu l'as identifiée, va au paragraphe donné par le tableau bleu.**

n° 93

Alfa Romeo est bien une célèbre marque de voitures italiennes, mais que signifie alors *Mike Yankee* ? Peut-être devrais-tu plutôt te concentrer sur les initiales de ces mots ?

▶ **Perds un point d'enquête et retourne au n° 71.**

MARDI. 13 H 05.

Devant le Gherkin

Tu arrives au moment où les manifestants se rassemblent devant l'immeuble.
Chacun a une pancarte avec une image d'animal, ils chantent en chœur :
« Les animaux padi pado
Sont nos égaux padi pado
Libérons-les padi pado
De l'être humain padi pado. »

Pour te mêler à eux, tu chantes toi aussi. Un défilé se met en place et commence
à partir, mais un homme filtre les gens devant une barrière, il ne laisse pas passer
tout le monde. Visiblement, le tri se fait sur la pancarte que l'on montre,
en fonction de l'animal qui est dessus.

Ceux-là sont passés :

Ceux-là ont été refusés :

Trouve quel animal
montrer pour passer,
en observant les gens
devant toi, et en écoutant
les paroles qu'ils chantent.
Pour passer, tu as le choix
entre deux images,
laquelle vas-tu prendre ?

▶ Va au n° **III**.

▶ Va au n° **89**.

n° 95

« Ce n'est vraiment pas mon rayon, ces affaires-là », soupire Colomba Fond.

▶ **Perds un point d'enquête et retourne au n° 170.**

n° 96

Ton code n'a pas fonctionné, ressaie.

▶ **Perds un point d'enquête et retourne au n° 53.**

n° 97

HMS Belfast

Sur le pont du navire HMS Belfast, un officier t'accueille, prévenu de ta mission. Tu lui expliques que des traces d'un de leurs drones ont été relevées ce matin à la tour de Londres. Il est surpris et vous allez immédiatement vérifier son stock. Effectivement, l'un de ses drones manque à l'appel.
« Mes radars sont toujours actifs et j'ai encore les données de ce matin. On devrait réussir à voir de quel côté il est parti. » Il retrouve le vol du drone dans ses données, et te montre sur son ordinateur un plan de Londres coupé en quatre morceaux. Un point lumineux se déplace vers le nord puis s'arrête. « Votre drone, c'est le point rouge qui s'est déplacé au nord. Et ce point rouge, sur la Tamise, c'est nous. » Grâce au radar, tu sais dans quel quartier de Londres mener tes recherches.

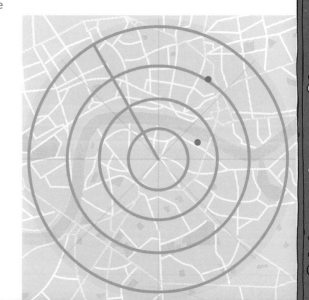

▶ **Mais va au n° 46 demander des précisions à l'officier.**

« Mes recherches prouvent que oui, il y a un effet, certainement dû à la présence de lanoline dans la laine du mouton. Car la lanoline est une source importante de vitamine D, qui est vitale pour la croissance et la santé des os. Mais, la surexposition lumineuse du mouton a aussi une action sur son comportement, ces moutons sont beaucoup plus dociles, plus obéissants. »

À ce moment-là, tu lui montres ta machine et lui expliques où tu l'as trouvée. Il est abasourdi. « Cette machine me semble très ancienne. Et vous me dites qu'elle utilise de la lanoline ? Mais alors... ils me manipulent depuis le début, ils veulent contrôler les animaux ! Ma collègue Tanya Thompson, historienne des sciences au musée des Sciences à côté, vous aidera peut-être à comprendre son fonctionnement. Spécialisée en machines du XIXᵉ siècle, elle a réussi à faire fonctionner des objets étranges. Pour vous y rendre, voici un plan. »

« Mon bureau est le 165, c'est facile : en sortant, vous allez à gauche au fond du couloir, ensuite prenez la deuxième à gauche, puis tournez deux fois à droite. Vous arriverez dans une pièce avec deux escaliers, descendez, et enfin tournez à droite. Ce sera au bout d'un long couloir. »

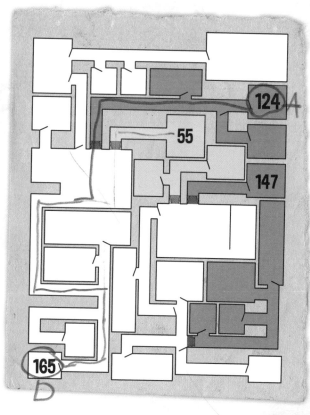

- ▨ 1ᵉʳ **étage**
- ▢ Rez-de-chaussée
- ▩ Sous-sol

▶ **Rends-toi au numéro du bureau de Tanya Thompson.**

n° 99

« Ce n'est vraiment pas mon rayon, ces affaires-là », soupire Colomba Fond.

▶ **Perds un point d'enquête et retourne au n° 89.**

---

n° 100

De l'intérieur vers l'extérieur ou de l'extérieur vers l'intérieur ?

▶ **Perds un point d'enquête et retourne au n° 134.**

---

n° 101

L'effet de la fléchette soporifique est immédiat : le tigre s'effondre d'un coup, avant d'arriver dans la zone de transformation. Mais l'homme roux t'a repéré et parle au bélier : « L'heure est venue ! Montre de quoi tu es capable, attaque ! » Le bélier charge… Tu cours derrière une table et t'abrites avec ton bouclier en bois, mais tu sens que ni l'un ni l'autre ne vont résister à ses coups de butoir. « Vous ne tiendrez pas longtemps ! ' Comme vous le voyez, il m'obéit au doigt et à l'œil. Et bientôt, tous les autres aussi. Avec cette armée, je serai invincible. Je pourrai reprendre le trône, et les Tudor récupéreront enfin leur place ! À bas les Windsor, les usurpateurs ! Mais laissez-moi me présenter : Albert Tudor, pour vous asservir ! »

Pendant qu'il parle, tu évalues tes possibilités de t'échapper. Il faut distraire l'homme roux, pour qu'il lâche son emprise sur le mouton. Tu as toujours une bonne vue de la scène sur ton téléphone, car la voiture n'a pas été repérée, ouf ! En regardant ton écran, tu t'aperçois qu'il y a une fonction tir… Des missiles en mousse ou en plastique, mais les diamants ont l'air d'être juste posés sur les bras de la machine.

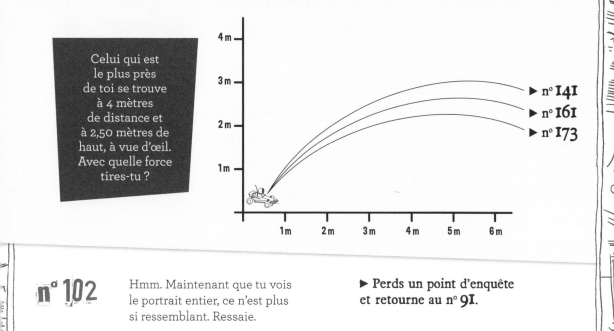

Celui qui est le plus près de toi se trouve à 4 mètres de distance et à 2,50 mètres de haut, à vue d'œil. Avec quelle force tires-tu ?

▶ n° **141**

▶ n° **161**

▶ n° **173**

---

n° 102

Hmm. Maintenant que tu vois le portrait entier, ce n'est plus si ressemblant. Ressaie.

▶ **Perds un point d'enquête et retourne au n° 91.**

---

n° 103

Oui, ça sentait bien le mouton ! Sherlock Holmes te dit alors : « C'est élémentaire, mon cher. Cette huile est de la lanoline, l'huile extraite de la laine des moutons, qui les protège de la pluie. Très étrange d'en avoir trouvé là. Vous devriez vous rendre dans la City Farm qui en produit. Cette ferme est à 12 minutes de Shoreditch, où vous êtes actuellement. Et vous feriez mieux d'emporter la machine avec vous. »

Londres accueille des fermes en pleine ville, étonnant ! Cherche sur ta carte ce qui peut ressembler à une ferme et qui se trouve à 12 minutes de là où tu es, et rends-toi au numéro figurant sur son drapeau.

Roméo et Juliette ! C'est le titre de la pièce, ça ne t'aide pas à trouver ton mystérieux acquéreur de lanoline. Dans les coulisses, tu parles avec la costumière : « Bonjour, j'enquête pour Scotland Yard sur votre récente commande de toisons et de lanoline. » Sa réponse est couverte par un grand fracas, puis elle te dit : « Hier j'ai envoyé mon apprenti James, celui qui vient de faire tomber le portant de costumes pour Hamlet – James ! Range ça ! Donc, je l'ai envoyé à la City Farm acheter trois toisons de première catégorie, mais sûrement pas de lanoline, ça ne nous servirait à rien ici. » Tu insistes, elle te précise : « Je lui ai donné un billet de 100 livres sterling pour acheter ces 3 toisons mérinos. Je connais les tarifs, il m'a rendu 28 livres sterling, le compte y est. »

Toi, tu sais que l'apprenti a menti, puisque la City Farm n'élève pas de mérinos.

À l'aide du dépliant de l'éleveuse, calcule le nombre de litres de lanoline que l'apprenti a pu s'acheter.

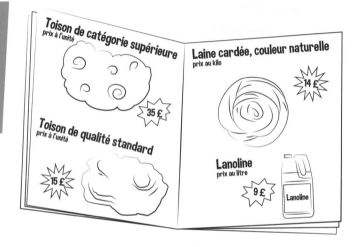

Toison de catégorie supérieure
prix à l'unité — **35 £**

Toison de qualité standard
prix à l'unité — **15 £**

Laine cardée, couleur naturelle
prix au kilo — **14 £**

Lanoline
prix au litre — **9 £**

Note ici ton calcul et ta réponse :

. . . .

▶ **Tu as trouvé un ou deux litre(s), va au n° 122.**

▶ **Tu as trouvé trois litres ou quatre litres, va au n° 30.**

n° 105

Il fallait traverser un pont, non rester sur la même rive de la Tamise.

▶ Perds un point d'enquête et retourne au n° **136** chercher à nouveau.

———— ♛ ————

n° 106

Tu as dû faire une erreur.

▶ Perds un point d'enquête et retourne au n° **23** pour ressayer.

———— ♛ ————

n° 107

« Exactement, c'est l'empreinte en arc qui est rare. Bon, la situation est encore plus grave que prévu, nous manquons de temps pour intégrer vos méthodes françaises à notre façon de travailler. Le plus efficace sera d'enquêter chacun de son côté. Mais je ne vous laisse pas sans protection, je serais responsable si quelque chose vous arrivait. Suivez-moi dans notre laboratoire. Ici, nous avons un gadget conçu pour nos stagiaires, qui endort l'adversaire. Attention, nous allons le personnaliser à votre empreinte de pouce, ne vous trompez pas. »

Remets les lettres dans l'ordre pour trouver l'objet d'agent secret qui est pour toi.

A. le GRUEO À SREVEL SOOPIN : le ....

B. les LEUJLMSE À SROYNA X : les ....

C. le REUPAAPIL QUSPOIFOERI : le ....

▶ Si tu penses que c'est l'objet A, va au n° **139**.

▶ Si tu penses que c'est l'objet B, va au n° **127**.

▶ Si tu penses que c'est l'objet C, va au n° **12**.

n° 108

« Non, aucun de mes contacts sur les différents réseaux ne m'a parlé de ça, désolé », regrette Dan Philips.

▶ **Perds un point d'enquête et retourne au n° 4.**

n° 109

« Royal », c'est bien le mot de passe. Un garde t'accompagne à l'intérieur où une femme t'accueille : « Bonjour, je suis l'inspectrice Lestrade, de Scotland Yard. Nous faisons appel à vous sur les conseils de Miss Fond. Cette nuit, un vol terrible a été commis, et pire encore, regardez donc ça ! »
Elle se pousse pour te révéler une vitrine intacte derrière laquelle se trouve une couronne... des rois ! Une couronne en carton doré, identique à celles que l'on porte en janvier en France quand on mange la galette des rois.
« Cette couronne de carnaval est une signature évidente ! Le criminel est français, aucun Britannique n'oserait s'attaquer aux joyaux de la Couronne ! Faire intervenir un agent français n'est pas dans nos habitudes, mais avec votre aide, je mets toutes les chances de notre côté. Peut-être qu'un cerveau français comprendra mieux la façon de faire de ce voleur, puisque c'est forcément votre compatriote. »

Tu demandes à examiner la couronne des rois, et te rends compte que quelque chose cloche. Les gemmes sont en relief épais, beaucoup plus que sur une couronne en carton normale : ce sont des autocollants. Tu vois une lettre à travers certaines, l'ensemble semble former un code où un même signe correspond toujours à la même lettre. Vite, déchiffre-le pour prouver ta valeur à Scotland Yard !

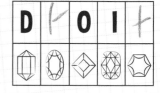

Note ici ta réponse :

Dieu et mon droit

▶ Va au n° **92** pour partager ta découverte avec l'inspectrice.

---

n° 110

« Oh, dear ! Même avec *"royal"* dans le nom de l'organisation, je ne sais rien de ces gens, je regrette ! » te répond Lady Calista.

▶ Retourne au n° **89** et perds un point d'enquête.

---

n° 111

Tu devrais mieux écouter la chanson, la fin sonne comme un indice.

▶ Retourne au n° **94**.

n° 112

Le palais est immense et vraiment impressionnant. Devant l'entrée, tu retrouves les célèbres gardes de la Reine, toujours immobiles. Cette fois, tu ne résistes pas : tu prends des photos en rafale, juste pour vérifier qu'ils n'ont pas bougé !

▶ Si tu trouves trois différences ou moins, rends-toi au n° **158**.

▶ Si tu en trouves plus de trois, rends-toi au n° **151**.

n° 113

Tu sais maintenant que tu cherches un Jack, qui travaille au Muséum d'histoire naturelle. Tu demandes l'adresse du musée à un passant. Il t'indique que, depuis le Bansky Tunnel où tu es, tu dois aller vers l'ouest : « C'est un grand bâtiment avec une belle entrée, au sud-ouest de Hyde Park. »

> Prends la carte et cherche le musée : il te faudrait 49 minutes pour y arriver à pied.

n° 114

« Oh, dear ! Je ne sais rien de ces choses-là, je regrette ! » te répond Lady Calista.

▶ Perds un point d'enquête et retourne au n° **4**.

n° 115

Non, ça ne sentait pas si mauvais !

▶ **Perds un point d'enquête et retourne au n° 119.**

n° 116

Bravo : Lestrade, qui vient d'arriver, confirme ce portrait-robot du voleur. Elle n'a pas réussi à l'attraper mais, bonne nouvelle, elle a relevé des empreintes sur le bateau abandonné sur le rivage. « Nous les avons déjà analysées, elles ne sont hélas pas dans nos fichiers. Mais son empreinte est du type le plus rare et si nous retombons à nouveau dessus, il sera plus facile de la reconnaître. »

Empreintes en arc :   Empreintes en boucle :   Empreintes en tourbillon :
5 sur 100   6 sur 10   3 sur 10

Essaie de retrouver le type d'empreintes du voleur sur cette carte.

▶ Si ce sont des empreintes en arc, va au n° **107**.
▶ Si ce sont des empreintes en boucle, va au n° **32**.
▶ Si ce sont des empreintes en tourbillon, va au n° **61**.

LUNDI. 14 H 30.

À la City Farm

C'est étonnant, cette ferme en plein Londres ! Tu refermes le portail derrière toi pour qu'aucun des occupants de la basse-cour ne s'enfuie. L'un des oiseaux te semble anormalement grand, mais sa race t'échappe. Tiens, le panneau du parcours pédagogique va t'aider...

« Démêle les noms de quatre de nos amis à plumes pour remplir la grille, puis utilise les lettres sur fond gris pour former le nom de la dernière espèce. »

Note ici ta réponse :

. . . .

▶ Si le nom de l'animal que tu as trouvé contient la lettre N, va au n° **187**.

▶ Si le nom de l'animal que tu as trouvé contient la lettre I, va au n° **87**.

n° 118

« Je n'encombre pas mon cerveau avec des sujets inutiles », te répond Sherlock.

▶ **Perds un point d'enquête et retourne au n° 84.**

---

n° 119

Tu racontes à Sherlock ce que tu as découvert. Il t'interroge : « Donc vous n'avez pas réussi à ouvrir la machine ? Dommage. Est-elle branchée ? » Sherlock t'aide à débrancher la machine pour que tu puisses l'emmener avec toi. « Et sinon, reparlez-moi de l'odeur du nuage d'huile ? » Tu penses à un animal, mais lequel ?

Aide ton cerveau à relier l'odeur du flacon au bon animal.

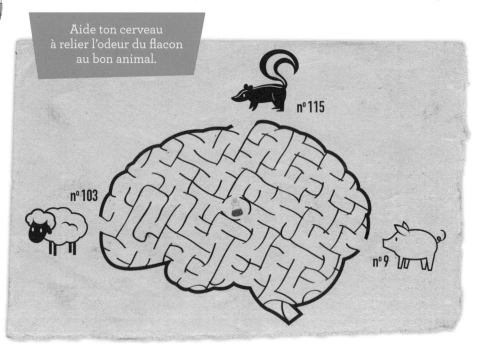

▶ **Va au numéro que tu trouves à la sortie du labyrinthe.**

n° 120

« Je n'encombre pas mon cerveau avec des sujets inutiles », te répond Sherlock.

▶ **Perds un point d'enquête et retourne au n° 165.**

---

n° 121

Sherlock Holmes te répond : « L'empreinte est celle d'une bottine de grimpeur très commune, tous ceux qui font de l'escalade en portent. Mais, je peux vous dire où il est passé, si j'examine la terre laissée sur le papier. Vous savez, j'ai répertorié toutes les sortes de terres de tous les quartiers de Londres. Renvoyez-moi un gros plan de l'empreinte. » Tu t'exécutes et Sherlock te rappelle : « Oui, je suis affirmatif, ceux qui ont marché sur ce tract sont passés par le Speaker's Corner, à Hyde Park. Je reconnais la terre de Hyde Park, mélangée aux fragments de bois des caisses sur lesquelles montent les personnes qui souhaitent s'adresser à la foule. »

> Cherche sur la carte où se trouve le Speaker's Corner, dans un coin de Hyde Park, un très grand parc au-dessus des musées que tu as déjà visités.

▶ **Rends-toi au numéro du drapeau que tu y trouves.**

---

n° 122

Eh non, tu t'es trompé dans tes calculs, il en a acheté plus.

▶ **Perds un point d'enquête et retourne au n° 104.**

---

n° 123

« Je n'encombre pas mon cerveau avec des sujets inutiles », te répond Sherlock.

▶ **Perds un point d'enquête et retourne au n° 89.**

Tu arrives au département Histoire des sciences, au bureau du professeur Thompson. La scientifique te reçoit immédiatement et commence l'examen de la machine. Très intriguée, elle te demande à quoi le fil était relié. Tu lui décris les jarres étranges. « Ce sont des piles Volta. Je vous confirme que la machine date de la première moitié du XIXe siècle. » Elle te décortique sa démarche pour dater ta machine. Tu notes, parce qu'elle va un peu vite.

☕ L'italien Alessandro Volta a inventé la pile en 1800, la photographie n'a pas été inventée en 1835.

☕ L'éclairage électrique a été inventé en 1809, mais ni par un Allemand ni par un Français.

☕ L'invention française date de 1826.

Utilise le premier tableau pour y voir plus clair : place un O dans les cases où tu sais que l'information est vraie et un X dans celles où tu sais qu'elle est fausse, et tu devrais réussir à tout identifier.
Pour bien remplir le logigramme, à chaque fois que tu mets un rond parce que la valeur est juste, tu peux déduire où mettre des croix sur cette ligne et cette colonne, un peu comme dans un sudoku.
Avec toutes ces informations, remplis ensuite le tableau de synthèse.

	NATIONALITÉ				ANNÉE			
	Allemand	Italien	Français	Anglais	1800	1809	1826	1835
INVENTION Pile Volta	X	O	X	X	O	X	X	X
Photographie	X	X	O	X	X	X	O	O
Éclairage électrique	X	X	X	O	X	O	X	X
Miroirs argentés	O	X	X	X	X	X	X	O
ANNÉE 1800	X	O	X	X				
1809	X	X	X	O				
1826	X	X	O	X				
1835	O	X	X	X				

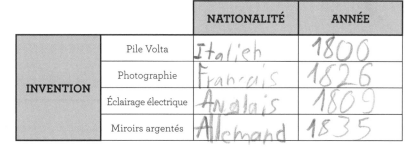

		NATIONALITÉ	ANNÉE
INVENTION	Pile Volta	Italien	1800
	Photographie	Français	1826
	Éclairage électrique	Anglais	1809
	Miroirs argentés	Allemand	1835

Note ici la date d'invention
des miroirs argentés :

.... 1835 ....

▶ **Rends-toi au numéro
correspondant aux trois
premiers chiffres de cette date.**

---

n° 125

Tu sautes dans un taxi. Mais où vas-tu
pouvoir trouver un tigre dans Londres ?
Ton cerveau, fatigué par tant d'énigmes,
te donne la réponse en vrac.

Supprime toutes les lettres
en triple, et les lettres restantes
formeront le mot
de ta prochaine destination.

Où dois-tu aller ?

.... ZOO ....

O B A L
L U L U
U O X
X Z X A
B A B U

**Cherche cet endroit sur la carte,
et rends-toi au numéro de
son drapeau.**

n° 126

Eh non, ce n'est ni Arthur, ni John, ni Penelope.

▶ **Perds un point d'enquête et retourne au n° 26.**

---

n° 127

Endormir quelqu'un avec des jumelles à rayon X n'a jamais vraiment été tenté.

▶ **Perds un point d'enquête et retourne au n° 107.**

---

n° 128

Tu as placé ta voiture derrière un bureau d'où tu peux tout voir. L'homme roux avec un grain de beauté, qui a volé votre bateau, a la main posée sur un bélier de la taille d'un bœuf. Le bélier l'aide à diriger un tigre vers un enclos de miroirs placé devant une version moderne et dix fois plus grande de la machine que tu as trouvée. Il s'apprête à transformer le tigre ! Tu ne peux pas laisser faire ça ! Tu prends le même chemin que ta voiture pour te rapprocher, en essayant de te rappeler comment utiliser ton parapluie soporifique... Tu espères qu'un tigre endormi ne pourra plus être transformé ! Sur le manche, un barillet dans lequel se trouvent trois fioles numérotées : 1, 2, 3. Laquelle utiliser ?

> Tu vois, dans un plis du tissu, une étiquette de lavage. Elle est mal imprimée, mais peut-elle te dire à quoi correspondent les chiffres ?

Ne pas laver
Ne pas repasser
Ne pas blanchir
Ne pas nettoyer
Ne pas sécher

= 1
= 2
=

▶ **Tu choisis la fiole I, tu la charges et tu tires, va au n° 19.**

▶ **Tu choisis la fiole 2, tu la charges et tu tires, va au n° 190.**

▶ **Tu choisis la fiole 3, tu la charges et tu tires, va au n° 101.**

---

n° 129

Un secret que les vaches ont bien gardé, tu n'en sauras pas plus.

▶ **Perds un point d'enquête et retourne au n° 21.**

Dan Philips te répond : « J'ai découvert un forum de discussion privée de Royal Animal. C'est une organisation qui recrute tous ceux qui veulent défendre les animaux. Mais pour monter dans les rangs, il y a des épreuves à passer, des énigmes à résoudre pour montrer qu'on est, je cite, "prêt à mettre son intellect et sa persévérance au service de la cause animale". Vous me dites qu'ils organisent une manifestation aujourd'hui ? Cela doit aussi être une de leurs journées d'initiation. Je regarde... Voilà, il s'agit d'un parcours en rapport avec les dix statues de dragons qui marquent les limites du quartier de la City. Je vous envoie la première énigme, pour débloquer le lieu du premier dragon. »

Tu reçois par texto ce casse-tête avec des animaux. Remplis la grille pour qu'il n'y ait jamais deux fois le même animal sur une ligne ou une colonne, ou dans un carré. Utilise juste l'initiale des animaux.

M	R	S	C
C	S	R	M
R	M	C	S
S	C	M	R

R̶AT   C̶HAT
S̶INGE   M̶OUTON

À la fin, deux animaux seront sur des cases grises. Prends le nombre de lettres qui composent leur nom : c'est ton prochain numéro, en commençant par la case la plus claire.

Note ici les deux animaux qui se trouvent sur des cases grises :
...... Mouton   Rat ......

Compte le nombre de lettres du nom de l'animal de la case gris clair : ...6......
Compte le nombre de lettres du nom de l'animal de la case gris foncé : ...3......

▶ Ces deux chiffres, dans cet ordre, t'indiquent où tu dois te rendre !

Cherche ce numéro sur ton plan, et rends-toi à ce paragraphe.

n° 131 — Sur le bord du canal

Tu te retrouves au bord d'un canal. Il y a un parking, probablement à l'endroit où on a débarqué les animaux. Peut-être ont-ils fini leur parcours sur l'eau ? Tu cherches des indices, le cœur battant : il y a urgence à ne pas lâcher un tigre gigantesque dans les rues de Londres ! Tu t'approches de l'eau et, à cet instant, un cygne s'approche et dépose un morceau de couronne des rois à tes pieds ! Ahurissant. Mais tu as appris que tous les cygnes d'Angleterre appartiennent à la Reine... Celui-ci semble vouloir la défendre, comme le corbeau ! Tu suis le cygne. Il s'arrête près d'un pont et pointe du bec vers la droite.

▶ Tu passes sous le pont. Va au n° **193**.

▶ Tu remontes au niveau du pont pour rejoindre la route au-dessus, rends-toi au n° **189**.

---

n° 132

En écoutant plus attentivement, n'est-ce pas le nom de l'organisation contre laquelle tu te bats ?

▶ **Perds un point d'enquête et retourne n° 13.**

---

n° 133

Tu es allé trop loin, cherche plus près.

▶ **Perds un point d'enquête et retourne n° 103.**

n° 134

Sur une étagère remplie de plantes carnivores, tu vois une pile de tracts de la manifestation à laquelle tu as participé à la City : c'est la bonne boutique ! Il vaut mieux ne pas aborder le vendeur de front, alors tu fais mine de t'intéresser aux cactus en vente. À ce moment-là, un jeune homme barbu arrive du fond de la boutique avec une couronne sur la tête, et sort dans la rue. Tu te glisses jusqu'au fond de la boutique : il y a une porte verrouillée par un digicode à lettres.

Tu regardes autour de toi et aperçois un dessin près de la porte : un indice ?

Note ici le code que tu trouves :

. . . .

▶ Le code que tu tapes se termine par un T, va au n° **23**.
▶ Le code que tu tapes se termine par un P, va au n° **100**.

n° 135

Tu peux trouver un chemin deux fois plus court.

▶ **Perds un point d'enquête et retourne au n° 7.**

n° 136

« Oui, nous avons élevé 11 races de moutons. Le prix de mes toisons dépend de la qualité. Les races connues pour leur laine produisent souvent beaucoup de lanoline : c'est une graisse secrétée par le mouton pour enduire et protéger sa laine. La lanoline contient aussi de la vitamine D, nécessaire à la croissance et à la santé des os.
– Je mène une enquête de police. Pouvez-vous me dire qui vous a récemment acheté de la lanoline ?
– J'en produis de petites quantités, ma production est entièrement réservée à un pharmacien. Mais hier, un costumier est reparti avec mon dernier bidon. J'ai été surprise, car il venait au départ pour des toisons, pour sa troupe de théâtre, et quand il a vu ma lanoline, il a insisté pour m'en acheter un bidon. Je ne pourrais pas vous le décrire, mais juste vous dire qu'il était pressé et qu'il devait marcher 28 minutes pour rentrer au théâtre. Il a aussi parlé d'un pont à traverser. »

> **Sur la carte, cherche un théâtre se trouvant à 28 minutes de la ferme, de l'autre côté d'un pont.**

n° 137 3e dragon

Tu es bien à la bonne statue, celle du pont de Londres. Cette fois, c'est une couronne que tu retrouves aimantée à la statue.

> Reconstitue le puzzle pour y lire le message.

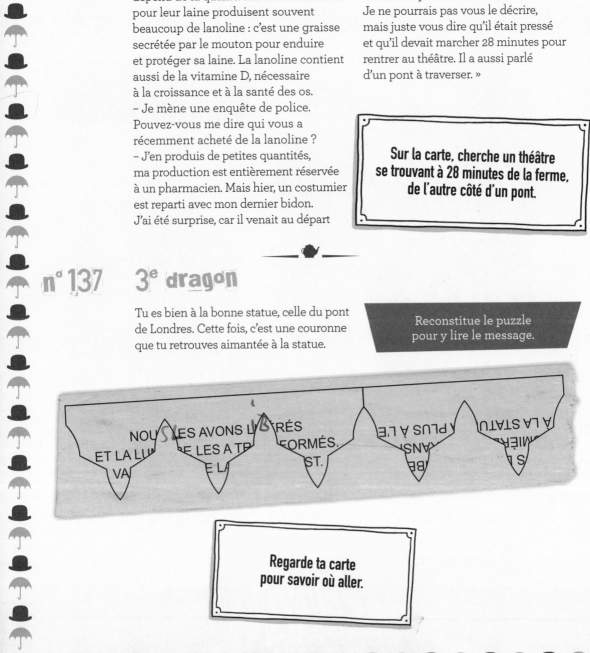

NOUS LES AVONS LIBÉRÉS ET LA LUMIÈRE LES A TRANSFORMÉS. VA ... DE LA ... ST. ... PLUS À L'E... À LA STATU... BE... S... MIÈR...

> **Regarde ta carte pour savoir où aller.**

n° 138

Tu t'es trompé de destination, la célèbre boutique n'est pas ici.

▶ **Perds un point d'enquête et retourne au n° 7.**

---

n° 139

Oh là, du poison ? Tu n'es pas un agent secret 00, oublie ça.

▶ **Perds un point d'enquête et retourne au n° 107.**

---

n° 140

Colomba te répond : « Oui, je connais cette signature... C'est une organisation qui milite contre la domination de l'homme sur l'animal. Des soupçons d'enlèvements d'animaux domestiques ont entaché leur réputation. L'un des fondateurs de l'organisation est un chercheur en sciences. Il travaille au Muséum d'histoire naturelle de Londres. Il se prénomme... » Et là, la communication est coupée ! Colomba t'envoie tout de suite un texto qui complète sa phrase, mais c'est un amas de lettres doublées.

Note ici ta réponse :

. . . .

▶ **Son prénom a trois lettres, va au n° 18.**
▶ **Son prénom a plus de trois lettres, va au n° 113.**

Enlève toutes les lettres en double, et il restera le prénom dont tu as besoin.

WPIJWMARIPCMKR

> Faire glisser pour déverrouiller

---

n° 141

Dommage, le missile est passé au-dessus !

▶ **Recommence vite au n° 101 et perds un point d'enquête.**

n° 142   Palais de Westminster

Si on t'avait dit un jour que tu ferais partie de la protection royale au discours de la reine du Royaume-Uni ! Tu as une vue imprenable sur la cérémonie et sur la Chambre des lords. Quelqu'un a eu la gentillesse de t'expliquer que la « chambre » désignait une assemblée, sinon tu aurais pu chercher leur lit très longtemps ! Il y a donc la Chambre des lords (les nobles et aristocrates du royaume), et la Chambre des communes (dont les membres sont élus) qui sont réunies pour écouter.

Tu repères aisément Lady Calista au milieu des lords et ladies en perruque : difficile de rater sa crête !

> Ton imagination te montre
> plein de petits détails cachés
> dans les perruques et les cols d'hermine
> des autres membres de l'assemblée.
> Combien y en a-t-il ?

▶ Si tu as trouvé trois animaux et objets dissimulés ou moins, rends-toi au n° **184**.

▶ Si tu as trouvé quatre animaux et objets dissimulés ou plus, rends-toi au n° **146**.

---

n° 143

Tu t'es trompé de clef.

▶ Retourne au n° **161**, et perds un point d'enquête.

---

n° 144

Non, tu ne trouves rien, ni sur, ni près de ce dragon.

▶ Tu ne perds pas de point, mais retourne à ton précédent paragraphe.

Dans la Zone tropicale, tous les singes sont là, mais le tamanoir, lui, ne ressemble pas du tout à la photo affichée à côté de sa vitre. En réalité, il ressemble à un blaireau maquillé ! Tu te demandes pourquoi il aurait été enlevé... serait-ce pour ses longues griffes ?

Combien de différences notes-tu ?

▶ Il y en a moins de cinq, rends-toi au n° **6**.
▶ Il y en a cinq ou plus, rends-toi au n° **33**.

L'ouverture du Parlement est une cérémonie annuelle au Royaume-Uni. Elle existe depuis le XVIe siècle et a conservé des rituels très anciens et assez surprenants. On t'a donné le déroulé de la cérémonie pour que tu puisses comprendre ce qui se passe. Très intéressant... sauf qu'apparemment, on te fait marcher : ce texte est plein de gags.

Parmi les sept phrases qui suivent, combien sont fausses, à ton avis ?

🏆 Avant la cérémonie, les caves du palais de Westminster sont fouillées par les gardes du corps de la Reine.

🏆 L'un des élus de la Chambre des communes est retenu en otage à Buckingham Palace, pour éviter que la Reine ne soit séquestrée par le Parlement pendant la cérémonie.

🏆 La couronne impériale voyage toute seule dans un carrosse qui précède la Reine.

🏆 Le gentilhomme huissier se rend à la Chambre des communes pour dire aux députés de venir, et on lui claque la porte au nez.

🏆 L'huissier frappe ensuite trois fois à la porte de la Chambre des communes, et on le laisse entrer.

🏆 La Reine fait son discours.

🏆 La Chambre des communes et celle des lords applaudissent tous ensemble.

▶ Si tu trouves moins de trois, ou trois phrases fausses, va au n° **47**.
▶ Si tu trouves plus de trois phrases fausses, va au n° **159**.

n° 147

Tu as mal écouté, le bureau du professeur est le 165.

▶ **Perds un point d'enquête et retourne au n° 98 pour recommencer.**

---

n° 148

Retourne dans tes souvenirs pour retrouver le bon acrobate.

▶ **Perds un point d'enquête et va au n° 191.**

---

n° 149

C'était le bon code ! Derrière la porte, une nouvelle pièce et une odeur bizarre, animale. Et au milieu, une machine ancienne en bois sculpté, avec des engrenages en laiton. Tu la regardes dans tous les sens : elle est reliée par un fil à des jarres bizarres remplies de disques en métal. Il y a plusieurs ouvertures, et ce qui ressemble à une lentille en verre à facettes, mais tu ne vois pas à quoi elle peut servir, ni comment l'ouvrir. Elle semble dirigée vers un objet posé au sol, un cube ouvert vers le haut. Quand tu regardes dans ce cube, c'est une vision d'horreur : un nid d'araignées gigantesques !

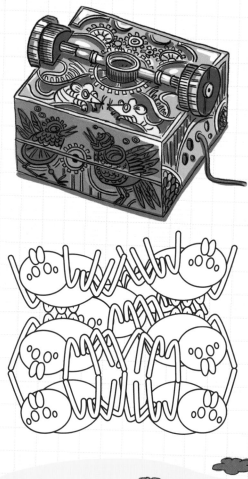

> Combien vois-tu d'araignées au total ?

▶ **Tu en vois sept, va au n° 179.**
▶ **Tu en vois huit, va au n° 5.**

Bonne intuition, le mot de passe est 70ND0N3Y3. Lestrade trouve rapidement l'information : « C'est demain ! La Reine portera la couronne pour la cérémonie d'ouverture du Parlement. Impossible de changer les plans. Je vais renforcer la sécurité. J'appelle Lady Cumbert-Jones, elle est membre de la Chambre des lords, elle nous conseillera. Rien de ce qui concerne la royauté ne lui est inconnu. Je vous laisse sa carte au cas où vous en auriez besoin. » Après un silence, elle murmure : « Merci, je dois admettre que vous nous avez aidés. Vous avez mangé depuis ce matin ? J'ai un bon *fish and chips* à vous recommander près d'ici, si vous voulez découvrir la cuisine locale. Et rendez-vous demain dès 7 h devant le Parlement. » Avant d'aller goûter la cuisine traditionnelle, pense à lire la fiche de Lady Cumbert-Jones.

> C'est un restaurant dans un marché, proche d'un pont et d'un bâtiment en forme de pyramide très pointue, à 20 minutes d'ici.

▶ Rends-toi au n° que tu trouveras sur son drapeau.

Tu as dû mal compter.

▶ Retourne au n° **112** et perds un point d'enquête.

Eh non, ce n'est pas le bon chemin, c'est trop long.

▶ Perds un point d'enquête et retourne au n° **201** pour essayer à nouveau.

Tu convaincs le professeur de t'ouvrir : « Le projet ARMY, je sais que vous y êtes opposé, et je viens vous aider. » Alors, il raconte : « J'ai rejoint l'organisation très jeune, convaincu que nous agissions pour défendre les animaux. Nous avons mené beaucoup d'opérations secrètes. Et puis j'ai commencé à me demander pourquoi ils m'avaient persuadé de faire ma thèse sur ce sujet, pourquoi au bout de 12 ans je ne savais toujours pas qui nous dirigeait. Un jour, j'ai vu un document sur le projet ARMY, ils y parlaient de créer une armée d'animaux qui se battraient à leur place. J'ai compris qu'ils étaient fous, dangereux, ou les deux. En tout cas, prêts à asservir les animaux plutôt que les défendre ! — Comment vos recherches devaient-elles les aider ? » demandes-tu. — Je ne sais pas ! »

« J'enquête sur le rapport entre la luminosité et le développement neuronal et musculaire des animaux. Concrètement, j'ai essayé de voir si des moutons exposés à différentes intensités lumineuses se développeraient différemment. »

Note le nombre de différences que tu trouves entre les deux images :

.... 4 ....

▶ Si tu as noté plus de six différences, va au n° 15.
▶ Si tu as noté moins de six différences, va au n° 98.

n° 154

Avant de te coucher, tu règles ton réveil sur 6 h, heure anglaise, soit 7 h en France. Et tu cherches dès maintenant sur ton plan où se trouve le Parlement, appelé « Palais de Westminster ».

▶ **Rends-toi au numéro que tu trouveras sur son drapeau.**

> Le Parlement du Royaume-Uni fait partie du même bâtiment que Big Ben. Il se trouve au bord de la Tamise, au sud de Scotland Yard.

n° 155

« Oh, dear ! Je ne sais rien de ces choses-là, je regrette ! » te répond Lady Calista.

▶ **Perds un point d'enquête et retourne au n° 189.**

n° 156

Tu viens d'apprendre qu'il est plus facile de poursuivre un drone lorsqu'on est un corbeau. Hors d'haleine, tu t'arrêtes.

▶ **Perds un point d'enquête et va au n° 125.**

n° 157

Donc il manque un zèbre ! Et tu n'as pas vu tous les gorilles. Et seuls trois tigres sur les quatre annoncés font les cent pas dans leur enclos et grattent les murs.
Tu arrives au bureau du directeur, il lève un sourcil à la vue de ton bouclier en bois : « Quelle rapidité, je viens juste d'avertir Scotland Yard de la disparition de notre tigre ! » Tu lui expliques que le problème est plus grave : le tamanoir, un zèbre et peut-être le gorille manquent aussi. Les soigneurs vont vérifier et confirment rapidement la disparition du zèbre et du tamanoir. Le directeur se charge du gorille : « Venez avec moi regarder les caméras des abris. Vu l'heure, tous les animaux devraient avoir mangé. Si une gamelle est toujours remplie, c'est que l'animal a été enlevé ! » Sur l'immense panneau de contrôle, il y a un interrupteur pour chaque caméra, avec un code pour indiquer l'animal qui s'y trouve. Sur l'étiquette, les consonnes du mot sont écrites avec le nombre de voyelles total. Par exemple : TIGRE est codé en TGR2 (2 pour 2 voyelles).

Tu auras un code à deux chiffres.

Le premier : combien d'animaux ont disparu ? ....2........

Pour le deuxième chiffre, additionne les voyelles des animaux disparus :
.......6.......

▶ Ces deux chiffres forment ton prochain numéro.

n° 158

Un sol en marbre, des dorures et du velours partout : c'est bien un palais royal, pas de doute. Un monsieur en costume sombre et gants blancs te fait asseoir dans un petit salon. Au bout de quelques minutes, entre une dame aux cheveux blancs : la Reine ! Tu t'essaies maladroitement à une révérence, et elle te sourit : « Je suis venue vous remercier. Grâce à vous, nous avons récupéré tous nos joyaux. Notre joaillier va avoir du travail pour les remettre en état, mais le principal est que rien ne se soit ébruité ! Je vous remercie pour votre discrétion. Ce Tudor est sous les verrous, sa machine démantelée, et les animaux

ont retrouvé leurs propriétaires. Et il paraît que vous avez même reçu l'aide d'un de mes soldats ailés, Merlin, je crois ? Mais assez parlé, c'est l'heure du thé. À propos, savez-vous pourquoi je déteste les grenouilles ? Elles font le thé tard... » Tu ne savais pas que la Reine aimait les blagues ! Elle t'assure enfin que la Grande-Bretagne t'accueillera toujours à bras ouverts. L'enquête est finie. Lestrade appelle son bureau et prend une journée de congé pour te faire visiter Londres avant ton départ. Tu espères que votre journée sera moins mouvementée !

---

n° 159

Eh non, ça paraît ahurissant, mais une seule affirmation était fausse. On n'applaudit pas.

▶ **Perds un point d'enquête et retourne au n° 146.**

n° 160

« Non, aucun de mes contacts sur les différents réseaux ne m'a parlé de ça, désolé », regrette Dan Philips.

▶ **Perds un point d'enquête et retourne au n° 170.**

n° 161

Excellent tir : un diamant de la machine est tombé et l'homme se précipite pour le ramasser ! Il ne contrôle plus le mouton qui redevient placide et s'éloigne de toi. À ce moment-là, un corbeau, qui attendait pour agir, descend en piqué arracher le trousseau de clefs d'un des acolytes présents, te les lance et retourne attaquer Albert Tudor et ses lieutenants. C'est certainement Merlin ! Tu retournes vers les cages en courant pour délivrer les animaux – à défaut de policiers, les animaux pourront servir de renfort !

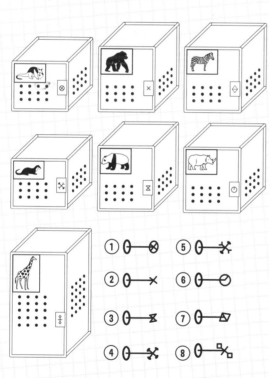

Mets les bonnes clefs dans les bonnes serrures. Laquelle ne vas-tu pas utiliser ?

▶ **C'est un numéro pair, va au n° 174.**

▶ **C'est un numéro impair, va au n° 143.**

Dans le taxi

Tu réfléchis. Les membres de Royal Animal semblent penser qu'une armée d'animaux va se battre pour eux. Est-ce grâce à la version moderne de la machine que tu as trouvée ? Ils ont les trois diamants et de la lanoline : que va-t-il se passer quand ils la mettront en route ? Tu appelles les chercheurs du musée des Sciences, tu as besoin de comprendre !

La professeure Thompson décroche : « J'allais vous appeler ! Je suis avec les professeurs Carrey et Bent, nous venons de réussir à faire fonctionner la (micahen) machine et ce que nous avons découvert est stupéfiant ! » Tu entends mal, certains mots sont complètement brouillés. Essaie de les deviner. « La lumière émise, modifiée par le circuit des (idmanats) diamants et des (iromirs) miroirs est prodigieuse, c'est un puissant (yoran) rayon d'arc-en-ciel ! Nous avons (vetrouré) retrouvé son brevet dans nos archives. Il a été déposé par George (Tuodr) Tudor en 1845. Il décrivait sa machine ainsi "Machine pour (aumgeretn) augmenter la (tllaie) .... et modifier le (porcomtement) .... d'animaux par rayonnement de lumière et application de (nalonile) Lanoline ..." Il a été pris pour un fou, mais elle marche ! Lorsque nous l'avons mise en route, une (chemou) mouche est passée dans le rayon de lumière et de lanoline : elle a grossi d'au moins deux fois. D'après les documents, la machine pouvait même (anstmorrfer) tr.............. des (rsoius) .... Avec de plus gros diamants, vous imaginez... ? » Et la communication est coupée. C'est inimaginable ! Avec les trois gros diamants volés, est-ce qu'une machine améliorée pourrait transformer un tigre ? Et cette armée dont parle la secte, tout prend sens ! Quels autres animaux veulent-ils transformer ? Lesquels ont-ils déjà enlevés ?

Remets les lettres des mots entre parenthèses dans l'ordre, pour connaître les explications de la professeure Thompson.

Cette affaire devient dangereuse... Que pourrais-tu faire pour réduire tes risques ? Le taxi remonte Regent Street et arrive à hauteur d'un célèbre magasin de jouets et d'une boutique pour animaux.

Tu demandes au chauffeur de t'attendre. Si tu choisis de te rendre :

▶ au magasin de jouets, va au n° 79.
▶ à la boutique pour animaux, va au n° 203.

n° 163

« Mais dites-moi, vous ne m'écoutez pas du tout ! »

▶ **Perds un point d'enquête et retourne au n° 186.**

n° 164

La faim t'embrouille !

▶ **Perds un point d'enquête et retourne au n° 62.**

n° 165

Ce sujet de recherche sur le mouton ne peut pas être une coïncidence ! Tu frappes à la porte de Jack Carrey et il vient lui-même t'ouvrir. Tu lui demandes s'il connaît Royal Animal. Il te répond : « Je ne veux plus jamais en entendre parler ! », et claque la porte. C'est donc bien lui que tu cherches. Mais comment lui faire rouvrir sa porte ? Tu as besoin d'en savoir plus sur ce qui s'est passé entre lui et Royal Animal. Qui saura te dénicher cette information ?

COLOMBA
FOND
n° 44

SHERLOCK
HOLMES
n° 120

DAN PHILIPS
n° 71

Quelle situation stressante pour faire des suites logiques ! Mais tu as réussi et tu vois sur l'écran de ton téléphone l'image de la caméra. Maintenant, tu dois naviguer dans cette pièce sans que ta voiture soit vue ou fasse de bruit. Évite de la cogner dans un mur ou un objet !

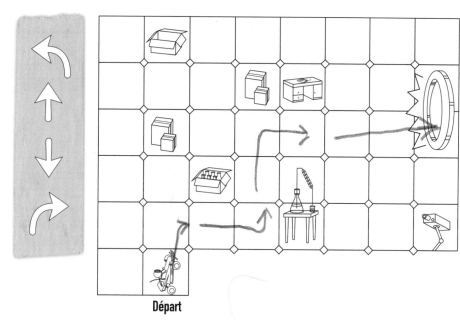

Départ

Tu as quatre commandes : pivoter à droite, pivoter à gauche, avancer ou reculer. Attention, pivoter ne te fait pas avancer d'une case. Quelle suite de commandes vas-tu utiliser pour aller voir ce qui se passe à la source lumineuse, sans être vu par la caméra ?

▶ Si tu donnes ces directions, va au n° **128**.

▶ Si tu donnes ces directions, va au n° **177**.

n° 167

« Ce n'est vraiment pas mon rayon, ces affaires-là », soupire Colomba Fond.

▶ **Perds un point d'enquête et retourne au n° 4.**

---

n° 168

« Non, aucun de mes contacts sur les différents réseaux ne m'a parlé de ça, désolé », regrette Dan Philips.

▶ **Perds un point d'enquête et retourne au n° 189.**

---

n° 169

Roger est bien le complice de cet enlèvement ! Le directeur et toi donnez les informations sur le véhicule utilisé à Scotland Yard. Ils accèdent à son GPS et découvrent qu'il y a une adresse où cette camionnette est souvent allée cette semaine.

> D'après le GPS, la voiture a souvent stationné à Camden Lock, à 11 minutes au nord-est d'ici.

▶ **Trouve le numéro de cet endroit sur ta carte et vas-y le plus vite possible ! Les équipes de Scotland Yard sont en route aussi.**

---

n° 170

La réponse est écrite en tout petit – tu avais bien trouvé. Ton regard s'arrête sur les armoiries de la Reine sur le papier. Tu repenses à celles de l'arbre généalogique que tu avais trouvé à Shoreditch. Ce sont les mêmes ! Tu compares avec les photos prises avec ton téléphone mais, finalement, elles ne sont pas tout à fait identiques. Que signifie cette différence ?

Pour t'aider, qui, parmi tes indicateurs s'y connaît en armoiries royales ?

SHERLOCK HOLMES
n° **65**

LADY CALISTA
CUMBERT-JONES
n° **7**

COLOMBA FOND
n° **95**

DAN PHILIPS
n° **160**

---

n° 171

Oh là, tu vas être en retard !

▶ Perds un point d'enquête
et retourne au n° **196**
pour mieux regarder le tract.

---

n° 172

« Vous avez réussi, bienvenue !
Vous allez lutter avec Royal Animal
pour les droits des animaux.
Cette couronne est le signe de
votre appartenance à l'organisation. »
À ce moment, l'un d'eux reçoit un appel.
Il écoute, raccroche, puis murmure
quelque chose à l'oreille de son acolyte.
« Vous ne pouvez pas nous rejoindre
Nous avons fait erreur », dit-il. Puis,
il te reprend la couronne avant de
s'éloigner. Surpris, tu regardes autour
de toi et aperçois un drone. Étais-tu
surveillé ? Que faire ?

▶ Tu décides de partir sans demander ton reste. Après tout, tu as appris
des choses et tu sais où continuer ton enquête. Va au n° **125**.
▶ Tu décides de poursuivre le drone. Va au n° **156**.

---

n° 173

Dommage, le missile est passé
dessous !

▶ Recommence vite au n° **101**
et perds un point d'enquête.

Tu as libéré les animaux et les as dirigés vers Tudor et ses acolytes, avec l'aide de Merlin. Ils se retrouvent en difficulté entre les ouistitis qui leur tirent les oreilles, et les zèbres et les lamas qui reniflent leurs poches. Ils ne peuvent pas bouger et surtout pas s'approcher de la machine. Ça prouve qu'ils n'étaient pas des amis des animaux !
Enfin, l'inspectrice Lestrade et les renforts arrivent. Elle est très surprise, mais en bonne Anglaise n'en laisse rien paraître. Tout au plus dit-elle « Vous serez bien aimable » lorsqu'elle réussit à reprendre son stylo et son carnet à une loutre. Son téléphone sonne. Elle décroche, écoute, hoche la tête, et se tourne vers toi avec un petit sourire : « Nous devons partir dès maintenant pour... je vous laisse la surprise, c'est un rendez-vous de la plus haute importance. Devinez où ! »

Pour trouver ta destination, fais descendre verticalement les lettres dans les bonnes boîtes en dessous. Attention, ce n'est pas forcément la lettre du haut qui va dans la boîte du haut.

P A B U I S   N G

L A C K I D E H A M

Cherche sur la carte : un grand bâtiment avec une cour carrée, proche de jardins et qui donne sur une colonne surmontée d'une statue ailée.

▶ Va vite à son numéro, on t'attend !

n° 175 Fortnum and Mason

À la sortie du métro, ton regard est attiré par la façade pastel et décorée du salon de thé. Tu rentres. L'endroit est hors du temps, comme la personne qui t'attend : la mode du punk, c'était dans les années quatre-vingt, non ? Punk et chic, il n'y a que les Anglais qui sachent faire ! Tu t'assieds. Lady Calista Cumbert-Jones sort un album avec toutes les armoiries des grandes familles anglaises. Elle trouve les tiennes très vite.

Combien de différences vois-tu entre les deux blasons ?

. . . .

▶ **Si tu trouves sept différences, va au n° 88.**
▶ **Si tu trouves huit différences, va au n° 186.**

n° 176

Il n'y a rien à voir ici. Ce n'est pas le bon musée.

▶ Retourne au n° 113.

---

n° 177

Ta voiture est visible par la caméra ! Vite, tu recules, mais tu as perdu du temps.

▶ Perds deux points d'enquête et retourne au n° 166.

---

n° 178

Ce n'est pas à Oxford Circus que tu voulais aller.

▶ Perds un point d'enquête et retourne au n° 7.

---

n° 179

Pas facile de compter des araignées.

▶ Perds un point d'enquête et retourne au n° 149.

---

n° 180

▶ Perds un point d'enquête et retourne au n° 124.

---

n° 181

Eh non, il n'y avait pas le compte, l'addition s'élevait à 59 livres, ce qui équivaut à environ 68 euros, elle te devait environ 2 euros.

▶ Retourne au n° 79 pour réclamer ton dû, et perds un point d'enquête au passage.

---

n° 182

▶ Perds un point d'enquête et retourne au n° 124.

n° 183

L'historienne se réjouit que tu aies bien écouté. Elle ne peut pas faire fonctionner la machine tout de suite car, si elle l'alimente avec une charge trop puissante, elle risque de l'endommager. Mais elle réussit à l'ouvrir, et trouve, posés sur des tiges et entourés de miroirs, trois morceaux de verre à facettes. « Non, je crois qu'il s'agit de diamants ! J'appelle Arthur Bent, un confrère gemmologue », dit-elle.

Le professeur Bent arrive et regarde les trois pièces à la loupe : « Oui, ce sont des diamants ! Aussi gros, ils doivent être répertoriés. Pesons-les pour les identifier. Savez-vous que le poids d'un diamant se mesure en carats ? Le nom *carat* vient de la graine de caroubier qui sert d'unité de mesure depuis l'Antiquité. Chaque graine pèse le même poids : 0,2 gramme. J'ai ici une balance, mais seulement vingt graines de caroube, on va se débrouiller... »

Trouve combien chaque diamant vaut en carats.

▶ Si le plus gros diamant a un nombre de carats proche de **40**, va au n° **76**.

▶ Si le plus gros diamant a un nombre de carats proche de **50** va au n° **67**.

n° 184

Tu devrais regarder de plus près !

▶ **Perds un point d'enquête et retourne au n° 142.**

n° 185   À Camden

Tu as l'impression de réveiller Sherlock de sa sieste, mais lorsque tu lui décris où tu es, il ne te déçoit pas : « Oui, vous êtes sur Camden High Street. Certains de ces bâtiments ont des hangars très vastes qui communiquent avec le canal. Remontez la rue, et regardez bien toutes les façades des magasins : chaque propriétaire a demandé à un artiste de décorer sa façade avec son nom et son activité sous forme de code. C'est une tradition dans le quartier. »

> Déchiffre le message de chaque façade pour savoir dans quelle boutique tu vas entrer.

▶ La boutique 2, n° 195.

▶ La boutique 4, n° 54.

▶ La boutique 6, n° 134.

« Il y a bien 8 différences, les armoiries que vous avez photographiées sont celles de la maison des Tudor. Voyez-vous, plusieurs maisons se sont succédé en Angleterre. En honneur à notre monarque actuel, je vais vous présenter quatre reines importantes, qui ont chacune marqué une époque et une maison différentes : Anne, Elizabeth I, Elizabeth II et Victoria.

> ☕ Elisabeth II, est, vous le savez, la reine actuelle. Elle appartient à la maison des Windsor.
>
> ☕ Au XIXᵉ siècle, la reine n'était pas une Tudor.
>
> ☕ Au XVIIIᵉ siècle, la reine était une Stuart mais ce n'était ni Victoria ni Elizabeth I.
>
> ☕ Victoria était de la maison des Hanovre.

C'est assez simple, quand on fait attention, non ? »
Tu essaies de garder bonne figure, mais tu ne trouves pas ces histoires de royauté « simples » du tout.

Elisabeth I

Utilise le premier tableau pour y voir plus clair : place un O dans les cases où tu sais que l'information est vraie et un X dans celles où tu sais qu'elle est fausse, et tu devrais réussir à tout identifier. Pour bien remplir le logigramme, à chaque fois que tu mets un rond parce que la valeur est juste, tu peux déduire où mettre des croix sur cette ligne et cette colonne, un peu comme dans un sudoku. Avec toutes ces informations, remplis ensuite le tableau de synthèse.

		NOM				MAISON			
		Elisabeth I	Victoria	Anne	Elisabeth II	Windsor	Stuart	Hanovre	Tudor
SIÈCLE	XVIe								
	XVIIIe								
	XIXe								
	XXe-XXIe								
MAISON	Windsor								
	Stuart								
	Hanovre								
	Tudor								

Elisabeth II

Anne

Victoria

	NOM	MAISON
XVIe		
XVIIIe		
XIXe		
XXe-XXIe		

« Si vous m'avez bien écoutée, vous saurez me dire de quelle maison était Elizabeth I, non ? » te demande Lady Calista Cumbert-Jones.

Note ici ta réponse :

....

▶ Si tu penses que c'est une Tudor, va au n° 191.

▶ Si tu penses que c'est une Stuart, va au n° 163.

n° 187

Tu as dû te tromper dans la grille, l'animal que tu dois trouver n'a pas de N dans son nom.

▶ **Perds un point d'enquête et retourne au n° 117.**

---

n° 188

Un sujet de thèse odorant, mais peu pertinent pour ton enquête.

▶ **Perds un point d'enquête et retourne au n° 21.**

---

n° 189

Tu arrives dans une rue très commerçante et tu ne sais plus où aller. Tu as besoin d'aide, de quelqu'un de très malin pour trouver un indice dans cet amas de possibilités... Qui pourrait être ton meilleur informateur ?

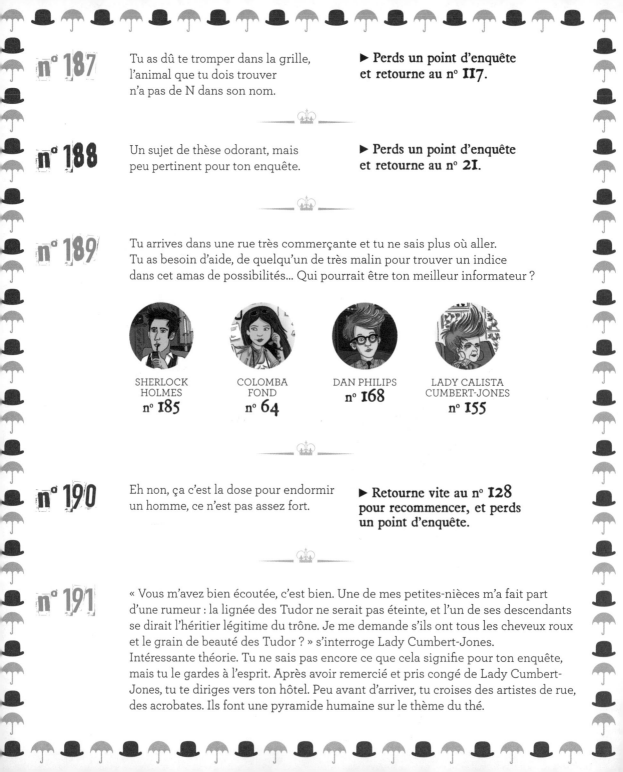

SHERLOCK
HOLMES
n° 185

COLOMBA
FOND
n° 64

DAN PHILIPS
n° 168

LADY CALISTA
CUMBERT-JONES
n° 155

---

n° 190

Eh non, ça c'est la dose pour endormir un homme, ce n'est pas assez fort.

▶ **Retourne vite au n° 128 pour recommencer, et perds un point d'enquête.**

---

n° 191

« Vous m'avez bien écoutée, c'est bien. Une de mes petites-nièces m'a fait part d'une rumeur : la lignée des Tudor ne serait pas éteinte, et l'un de ses descendants se dirait l'héritier légitime du trône. Je me demande s'ils ont tous les cheveux roux et le grain de beauté des Tudor ? » s'interroge Lady Cumbert-Jones. Intéressante théorie. Tu ne sais pas encore ce que cela signifie pour ton enquête, mais tu le gardes à l'esprit. Après avoir remercié et pris congé de Lady Cumbert-Jones, tu te diriges vers ton hôtel. Peu avant d'arriver, tu croises des artistes de rue, des acrobates. Ils font une pyramide humaine sur le thème du thé.

Chaque objet a son double ou son triple, sauf un. Arrivé à ton hôtel, tu ris : ton numéro de chambre est le même que celui de l'acrobate qui tenait l'objet unique.

Quel est l'objet unique ?

. . . .

▶ Est-ce que tu trouveras ta chambre au n° **148** ?
▶ Ou au n° **154** ?

---

n° 192

Tu as mal compté.

▶ **Perds un point d'enquête.** Et retourne au n° **33**, pour regarder de plus près.

n° 193

Le temps que tu traverses et le cygne a déjà disparu.

▶ **Va directement au n° 189** et perds un point d'enquête.

Voilà le dernier dragon, il est différent des autres. Au pied de la statue, deux personnes avec une couronne des rois t'attendent. Ils te prennent ton jeton en te disant :
« Résolvez cette dernière énigme et nous vous donnerons votre couronne. Les animaux combattront pour nous. Voici notre armée, trouvez leur chef, celui qui les mènera à la victoire. »

Quel animal sera le chef de l'armée ?
...... Tigre ......

▶ Si le nom de ton animal commence par un T, va au n° 172.

▶ Si le nom de ton animal commence par un G, va au n° 200.

C
P A N D A
N
d
G O r i l l e
i d
r
a E
f L
E
P
t h i N O C é r O S
a
n
t

M
O
U
t
O
N

Z E B r e

n° 195

Tu rentres dans le café, inspectes, mais ne vois rien de bien intéressant.

▶ Perds un point d'enquête et retourne au n° **185** pour mieux déchiffrer les rébus.

n° 196

Tu arrives au pied de la statue de Peter Pan. Elle est aussi fantaisiste que l'histoire de ce petit garçon qui ne voulait pas grandir. Il est entouré de la fée Clochette, des enfants perdus, et d'animaux. Tu aperçois un papier, coincé derrière le lapin. Tu le prends et tu reconnais le logo dessiné dessus !

Note ici les réponses de l'énigme et du rébus :

A 13 h ....

....

Il est 12 h 20.

▶ Si cela te laisse plus d'une heure pour aller au rendez-vous, va au n° **171**.

▶ Si tu juges que tu as moins d'une heure pour aller au rendez-vous, va au n° **8**.

Le canard géant « Nounours »
t'a distrait avec ses câlins ?

▶ **Perds un point d'enquête
et retourne au n° 87.**

---

n° **198**   ## 2ᵉ dragon

Tu es parvenu au deuxième dragon,
tu trouves un papier caché derrière
son bouclier.

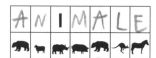

> Tu sais qu'un même signe
> correspond toujours à la même
> lettre. Décode le message.

> Cherche sur ta carte la destination
> indiquée dans le message
> et rends-toi à ce numéro.

Tu soulèves le tapis et remarques quatre lattes du plancher avec des inscriptions.

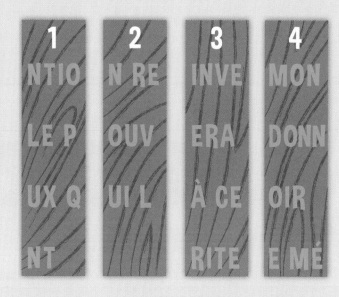

Que se passera-t-il si tu remets les lattes dans le bon ordre, celui qui permet de lire le message ?

Note ici les chiffres dans le bon ordre :
....

▶ **Rends-toi au numéro formé par les chiffres des deux lattes du milieu.**

---

n° 200

« Ni la girafe ni le gorille ne mèneront nos troupes. Nos membres savent trouver la vérité, vous avez encore une deuxième et dernière chance. » Tu te dis que l'animal caché doit se trouver grâce aux cases grises.

▶ **Perds un point d'enquête et retourne au n° 194.**

Au zoo de Londres

Effectivement, elle s'était trompée. Tu récupères l'argent manquant, et tu es déjà de retour dans le taxi, qui te dépose peu après devant le zoo.

Le bureau du directeur est juste au-dessus de l'enclos des tigres, vers le haut du parc. Avant d'aller le voir, tu veux t'assurer que d'autres animaux n'ont pas été enlevés, alors tu prends un plan sur lequel tu entoures les neuf enclos devant lesquels tu veux passer. Tu veux voir les animaux malins, dangereux, ou les deux. Et les pingouins : tu t'en méfies depuis qu'ils sont des vedettes de films d'animation.

Trouve le chemin qui visite les neuf enclos depuis l'entrée du zoo jusqu'au directeur, en utilisant le plus petit nombre de lignes droites et sans jamais passer deux fois devant le même enclos.

▶ Tu as tracé quatre lignes, va au n° 145.

▶ Tu as tracé cinq lignes, va au n° 152.

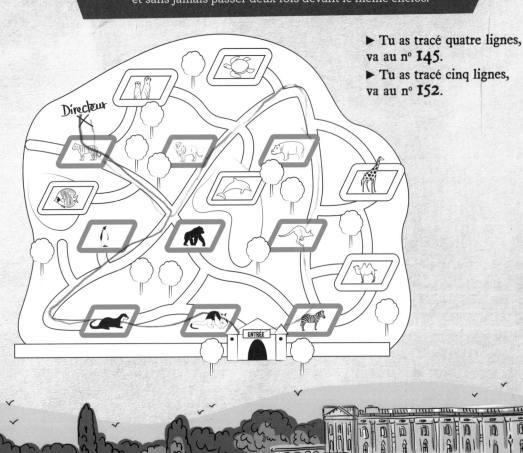

n° 202

Tu descends dans les égouts et entends résonner ses pas au loin : c'est par là qu'il est passé ! Mais très vite, tu ne peux plus le suivre grâce au son. Les couloirs qui se croisent dans tous les sens t'embrouillent. Et si, avec un peu de chance, tu pouvais trouver quelque chose qu'il aurait laissé tomber ? Tu trouves d'abord une corde, puis un mousqueton, et enfin un tract recouvert de traces de pas. Il est illisible, à part la signature de Royal Animal – tu avais vu juste !

> Enfin une bouche de sortie ouverte ! Rends-toi au numéro qui suit le bon chemin.

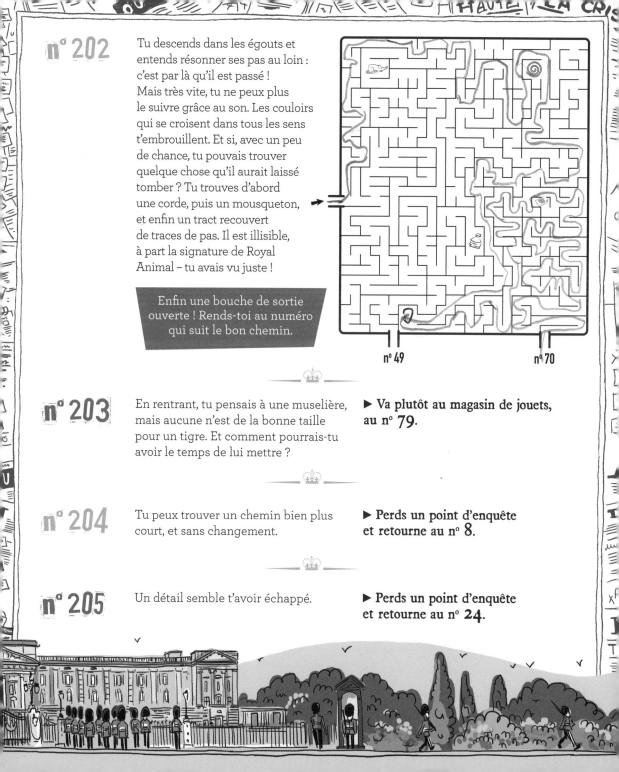

n° 49   n° 70

n° 203

En rentrant, tu pensais à une muselière, mais aucune n'est de la bonne taille pour un tigre. Et comment pourrais-tu avoir le temps de lui mettre ?

▶ Va plutôt au magasin de jouets, au n° 79.

n° 204

Tu peux trouver un chemin bien plus court, et sans changement.

▶ Perds un point d'enquête et retourne au n° 8.

n° 205

Un détail semble t'avoir échappé.

▶ Perds un point d'enquête et retourne au n° 24.

SOLUTIONS

n° 1

Bacon Oldfom est bien l'anagramme de Colomba Fond. Rends-toi au **n° 24**.

n° 5

Le message de l'araignée est : « **Sous le tapis** », c'est un endroit. Rends-toi au **n° 199**.

n° 7

Tu es au London Bridge, donc ton premier chiffre sera le **1**. Tu peux changer à Saint-Pancras, le 3, mais le trajet sera deux fois plus long, ou à Green Park, le **7**. Enfin, tu dois te rendre à Piccadilly Circus, le **5**, et non Oxford Circus, le 8. Donc le chemin le plus court est le **175**. Rends-toi à ce numéro.

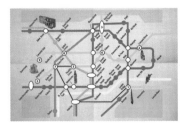

n° 8

Le rébus dit « **Devant l'immeuble Gherkin.** »

Regarde sur le plan de métro où se trouve cet immeuble.

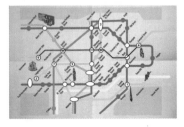

Depuis la statue de Peter Pan, tu peux prendre la ligne de métro 2 à Knightsbridge, mais tu devras faire un changement. Le plus rapide est d'aller de Lancaster Gate, station **9**, directement à Liverpool Street, station **4**. Rends-toi au **n° 94**.

n° 10

Le code qui se répète est le mot « **code** ». Si tu les supprimes tous, il reste les lettres du mot « **royal** », qui se termine par un **L**. Rends-toi au **n° 109**.

n° 12

Voici où se trouve l'adresse du célèbre Sherlock Holmes !

n° 13

Il dit : « Protéger l'animal royal, tu veux ! Trouver la statue de Peter et sa flûte de Pan, tu dois ! » Rends-toi à la statue de Peter Pan, au **n° 196**.

n° 16

Son ancêtre est celui qui est né en 1820. $1 + 8 + 2 + 0 = 11$, un nombre **impair**. Rends-toi au **n° 149**.

n° 17

Le chemin forme le numéro **83**. Rends-toi au n° 83.

n° 20

Voici le lieu où tu dois te rendre.

n° 21

Le lien avec les **moutons** ne peut pas être un hasard. Rends-toi au **n° 165**.

n° 23

Si tu dis tous les chiffres que tu vois, en partant du 1, la suite donne les chiffres suivants :

1 un 1
11 deux 1
21 un 2 un 1
1211 un 1 un 2 deux 1
111221 trois 1 deux 2 un 1
312211 un 3, un 1, deux 2, deux 1
13112221 un 1 un 3 deux 1 trois 2 un 1
Le dernier chiffre est un **1**, rends-toi au **n° 166**.

n° 24

Rends-toi au **n° 56**.

n° 26

Les gardes se sont succédé dans cet ordre : Arthur, John, Penelope, Matthew, Roger. Le coupable est **Roger**, dont le nom comporte 5 lettres : rends-toi au **n° 169**.

n° 27

Sherlock t'a dit : « Allez au HMS Belfast. » Cherche ce bateau sur la carte.

n° 30

Voici l'endroit où tu dois te rendre.

n° 33

Il n'y a que **8** zèbres, rends-toi au **n° 157**.

n° 36

Le perroquet dit « **L'île au trésor, où est l'île au trésor ?** » C'est le titre d'un célèbre roman de R.L. Stevenson, donc regarde **les livres de la bibliothèque**. Rends-toi au **n° 50**.

n° 38

Voici le bâtiment de Scotland Yard.

n° 40

Le tour complet dure **30 min**, donc arriver là-haut (la moitié du tour), prend **15 min**, et arriver à la moitié de cette moitié, prendra donc **7,5 min** (la moitié de 15 min), ce qui est **moins de 8 min**. Rends-toi au **n° 53**.

n° 42

Dans le dessin, tu vois une **flèche** et le numéro **17**. Rends-toi au **n° 17** en haut de la tour.

n° 43

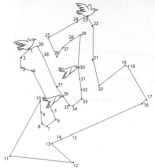

Le rébus dit : « **Roméo et Juliette** », la célèbre pièce de Shakespeare. Rends-toi au **n° 104**.

n° 46

Voici l'endroit où tu dois aller.

n° 47

C'est par les **égouts** qu'il s'est enfui, il n'a pas refermé la plaque. Rends-toi au **n° 202**.

n° 50

Le perroquet dit : « **La naissance de mon génial ancêtre ouvre toutes les portes.** » Rends-toi au **n° 16**.

n° 52

L'homme a sauté du pont qui permet la traversée de trains et de piétons, un pont appelé « Hungerford » et « Jubilee ». Tu es passé sous **5 ponts**, mais ni sous celui-ci, puisqu'il a sauté avant, ni sous le Tower Bridge. Rends-toi au **n° 38**.

n° 53

La solution est **7ONDON3Y3**. Additionne 7 + 3 + 3 = 13 = 1 + 3 = **4**, qui est un chiffre **pair**. Rends-toi au **n° 150**.

n° 56

En remplaçant toutes les voyelles, tu peux lire : « LA COURONNE DE LA REINE A ÉTÉ VOLÉE. VA À LA TOUR DE LONDRES, AU BORD DE LA TAMISE. » Voici l'endroit où se trouve la **tour de Londres**.

n° 57

La solution à cette énigme est toujours **20**, quel que soit ton âge. Essaie avec celui de ta mère, par exemple, et tu verras que tu obtiendras 20 ! Rends-toi à ce numéro de paragraphe.

n° 60

La solution est **36** : il y a 3 petites voiles en haut et 6 voiles allongées devant. Rends-toi à ce numéro.

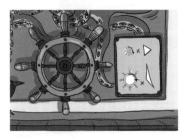

n° 62

Le mot formé par les lettres grises est « **raie** ». Rends-toi au **n° 75**.

n° 63

« Toi qui veux suivre le **mouvement**, trouve la solution à cette **énigme**, si tu parviens au bout des **épreuves**, tu mériteras de faire partie de Royal **Animal**. Ta prochaine **étape** est le **dragon** le plus au **nord**. » Rends-toi au **n° 198**.

n° 66

Le bon chiffre est le numéro **3**, car 21 et 24 sont tous les deux des multiples de 3. Rends-toi au **n° 10**.

n° 67

Tu sais que la prochaine cible des voleurs est la couronne impériale. Rends-toi vite au **n° 57**.

n° 70

La bonne réponse est 2 1 2. Les lords ont une robe rouge, Sherlock habite à Baker Street, et la couronne de la Reine voyage dans un carrosse à part. Rends-toi au n° 4.

n° 71

Le nom du projet est codé avec l'alphabet radio international. Alfa pour **A**, Romeo pour **R**, Mike pour **M**, et Yankee pour **Y**. Ça te donne le mot anglais « **army** », qui veut dire « **armée** ». en anglais. Rends-toi au **n° 153**.

n° 74

« L'HEURE DE LIBÉRER LEUR CHEF EST VENUE VA À LA STATUE DU TEMPLE, LA STATUE FONCÉE. » Rends-toi au **n° 194**.

n° 75

Le plus âgé des arrière-petits-fils est le prince George. Le père de son oncle est son grand-père, le prince Charles. Rends-toi au **n° 170**.

n° 79

Le total de tes achats est 30 + 25 + 4 = **59 £**
Si la livre sterling vaut 1,15 €, le total de tes achats est de 59 x 1,15 = **67,85 €**. Si tu donnes 70 € à la caissière, elle doit te rendre 70 - 67,85 = **2,15 €**.
Rends-toi au **n° 201** car elle s'est trompée.

n° 80

En remplaçant chaque lettre avec la lettre qui la précède dans l'alphabet, **SPZBM BOJNBM** donne « **ROYAL ANIMAL** ». (S donne R, P donne O, etc.) Rends-toi au **n° 84**.

n° 83

Tous les bateaux peuvent passer car le Tower Bridge est un pont à bascule. Rends-toi au **n° 52**.

n° 87

Rends-toi au **n° 136**.

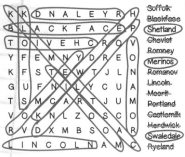

n° 91

Voici ce que devrait être le portrait-robot du voleur. Rends-toi au **n° 116**.

n° 92

COURONNE	DIAMANTS	CARATS
de saint Édouard	Aucun	0
de la Reine Mère	Kohinoor	105
impériale	Cullinan II	317
Sceptre	Grande Étoile d'Afrique	530

La couronne de la Reine Mère porte le **Kohinoor**, c'est elle qui a été volée. Rends-toi au **n° 42**.

n° 94

Il faut choisir la pancarte avec le **zèbre** dont le nom ne contient ni I ni O, comme le dit le slogan : « les animaux pas d'I pas d'O ». Rends-toi au **n° 89**.

n° 98

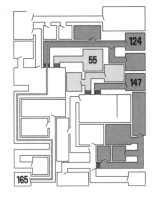

n° 101

La seule courbe qui passe à 2,5 m de hauteur et 4 m au sol est la deuxième. Va au **n° 161**.

n° 103

Voici l'endroit où tu dois aller.

n° 104

S'il a acheté trois toisons de 2e catégorie à 15 £ (ce qui fait **3 x 15 = 45 £**), il lui restait 55 £ sur les 100 £. Il en a redonné 28 £ à la costumière, il a donc dépensé **55 - 28 = 27 £**. Le litre de lanoline coûte 9 £, il a donc pu en acheter **3 litres**. Rends-toi au **n° 30**.

n° 107

« **Soporifique** », c'est ce qui provoque le sommeil. Il fallait donc choisir le parapluie. Rends-toi au **n° 12**.

n° 109

Rends-toi au **n° 92**.

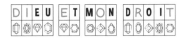

n° 112

Rends-toi au **n° 158**.

n° 113

Voici l'endroit où tu dois te rendre.

n° 116

L'empreinte en arc = 5 sur 100, en boucle = 60 sur 100, et en tourbillon = 30 sur 100 environ. La plus rare, et donc celle du voleur, est en arc. Rends-toi au **n° 107**.

n° 117

Les lettres sur fond gris forment le mot « **oie** ». Rends-toi au **n° 87**.

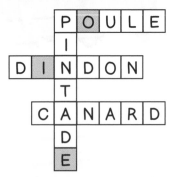

n° 119

Rends-toi au **n° 103**.

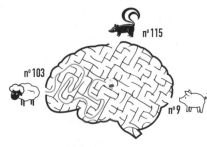

n° 121

Voici où tu dois te rendre.

n° 124

Rends-toi au **n° 183**.

	NATIONALITÉ	ANNÉE
Pile Volta	Italien	1800
Photographie	Français	1826
Éclairage électrique	Anglais	1809
Miroirs argentés	Allemand	1835

n° 125

Les lettres restantes forment le mot « **zoo** ». Voici où tu dois te rendre.

n° 126

Le mouton et l'humain sont plus légers que le tigre : il faut donc prendre la fiole qui correspond à la vache, et dont tu peux deviner que c'est le numéro **3**. Va au **n° 101**.

n° 130

« rat » et « mouton » apparaissent en gris dans la grille. « **mouton** » est sur la case gris clair et comporte **6** lettres. « **rat** » est sur la case gris foncé et comporte **3** lettres. Tu dois donc te rendre au **n° 63**.

M	R	S	C
C	S	R	M
R	M	C	S
S	C	M	R

n° 131

Le cygne t'a indiqué la droite, remonte sur la route à droite. Rends-toi au **n° 189**.

n° 134

Le code est « **tigre** ». Prends chaque lettre de ce mot sur le cercle extérieur et, comme l'indiquent les flèches, note les lettres intérieures qui leur correspondent. Tu obtiens « **IXVGT** ». Rends-toi au **n° 23**.

n° 136

Le théâtre où tu dois te rendre est celui-ci.

n° 137

Rends-toi au **n° 74**.

NOUS LES AVONS LIBÉRÉS ET LA LUMIÈRE LES A TRANSFORMÉS. VA À LA STATUE LA PLUS À L'EST.

n° 140

Les lettres restantes forment le prénom « **Jack** ». Rends-toi au **n° 113**.

n° 142

Il y a **4** objets cachés : un chat, un mouton, un oiseau et une théière. Rends-toi au **n° 146**.

n° 145

Il y a **6** différences entre les deux, rends-toi au **n° 33**.

n° 146

Aussi étonnant que ça puisse paraître, une seule affirmation est fausse, c'est la dernière : personne n'applaudit au discours d'ouverture du Parlement de la Reine. Rends-toi au **n° 47**.

n° 149

Il y a **8** araignées. Rends-toi au **n° 5**.

n° 150

Voici où tu dois te rendre.

n° 153

Il y a 5 différences entre les deux dessins. Rends-toi au **n° 98**.

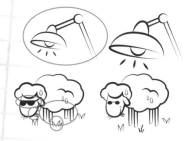

n° 154

Voici où tu dois te rendre.

n° 157

2 animaux ont disparu : une loutre et un gorille. L'addition des voyelles de leur nom est donc : 3 + 3 = **6** voyelles. Ton prochain paragraphe est donc **26**. Rends-toi au **n° 26**.

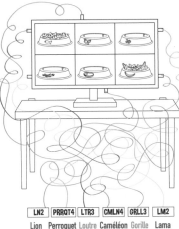

LN2	PRRQT4	LTR3	CMLN4	GRLL3	LM2
Lion	Perroquet	Loutre	Caméléon	Gorille	Lama

n° 161

La seule clef que tu ne peux pas utiliser est la numéro **4**, qui est un **nombre pair** : va au **n° 174**.

n° 162

« ... nous venons de réussir à faire fonctionner la **machine** et ce que nous avons découvert est stupéfiant ! La lumière émise, modifiée par le circuit des **diamants** et des **miroirs** est prodigieuse, c'est un puissant **rayon** d'arc-en-ciel ! Nous avons **retrouvé** son brevet dans nos archives. Il a été déposé par George **Tudor** en 1845. Il décrivait sa machine ainsi : "Machine pour **augmenter** la **taille** et modifier le **comportement** d'animaux par rayonnement de lumière et application de **lanoline**." Il a été pris pour un fou à son époque, mais elle marche ! Lorsque nous l'avons mise

en route, une **mouche** est passée dans le rayon de lumière et de lanoline : elle a grossi d'au moins deux fois, et elle ne nous lâche plus depuis. D'après les documents, la machine pouvait même **transformer** des **souris**. » Rends-toi au **n° 79** pour acheter une voiture télécommandée avec caméra.

n° 166

La solution est ↑↑↖↑↗↑↑↖↑↑ pour pouvoir voir sans être dans le champ de la caméra. Rends-toi au **n° 128**.

n° 169

Voilà l'endroit indiqué par le GPS.

n° 172

Le plus sage est de repartir sans demander ton reste, tu as une piste à suivre avec le tigre. Rends-toi au **n° 125**.

n° 174

Voici le lieu où tu dois te rendre :

P	A	L	A	I	S		D	E

B	U	C	K	I	N	G	H	A	M

Et voici où il se trouve :

n° 175

Il y a **8** différences au total. Rends-toi au **n° 186**.

n° 183

Le résultat est **55** carats. Le poids du plus gros diamant est de 15 graines + le poids du petit diamant + le poids du diamant moyen = 15 + 10 + (20 + 10) = 55. Rends-toi au **n° 67**.

n° 185

L'un des rébus dit : « **Dennis Café** », l'autre : « **Délicat Éléphant** », le dernier dit : « **Tournesol Tudor** ». Les armoiries des Tudor étaient sur l'arbre généalogique dans le repaire où tu as trouvé la machine, il doit y avoir un rapport avec ton enquête ! Rends-toi au **n° 134**.

n° 186

Elizabeth I était de la maison des Tudor. Va au **n° 191**.

	NOM	MAISON
XVIᵉ	Elisabeth I	Tudor
XVIIIᵉ	Anne	Stuart
XIXᵉ	Victoria	Hanovre
XXᵉ XXIᵉ	Elisabeth II	Windsor

n° 191

L'objet unique est le gâteau. Rends-toi au **n° 154**, celui de ta chambre.

n° 194

Avec les lettres des cases grises, tu peux former le mot « **tigre** ». Rends-toi au **n° 172**.

n° 196

L'image en miroir dit : « **À 13 h** ». Et le rébus : « **Libérons-les** ». Comme il est 12 h 20, il te reste 40 minutes pour te rendre au rendez-vous. Va au **n° 8**.

n° 198

Rends-toi au **n° 137**.

NOTRE ARMÉE

ANIMALE EST

PRÊTE VA AU

DRAGON DU

PONT LE PLUS

À L'EST

n° 199

Le numéro obtenu est **31**, rends-toi à ce numéro.

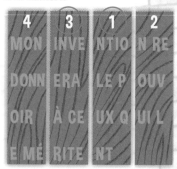

n° 201

Le plus court chemin s'obtient avec **4** lignes. Rends-toi au **n° 145**.

n° 202

Rends-toi au **n° 70**.

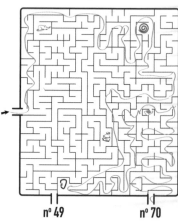

n° 49   n° 70

Dan PHILIPS

Dan, 22 ans, passe son temps sur les réseaux sociaux. Il poste des vidéos tous les jours et a amassé une incroyable quantité d'abonnés très fidèles. Grâce à eux, il réussit à infiltrer les groupes de discussion les plus privés et les plus dangereux. Et il sait tout ce qui se passe sur Internet et à Londres, que ce soit dans les milieux les plus chics comme dans la rue. Sherlock Holmes et Watson font souvent appel à lui. Consulte-le pour faire des recherches sur n'importe quelles activités, même les plus improbables. Il adore la musique alternative, et regarde tous les dessins animés japonais qui existent.

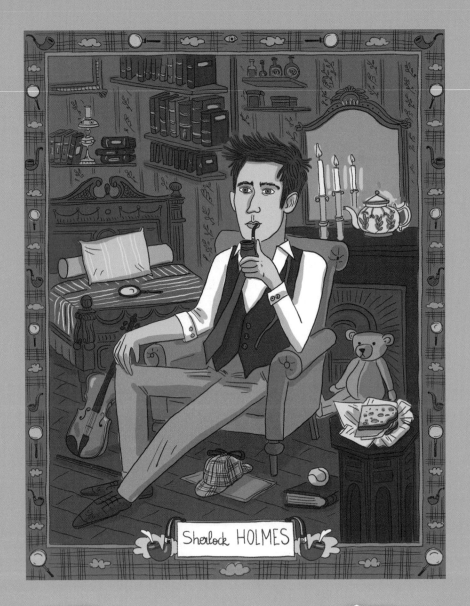

Sherlock HOLMES

Sherlock n'a pas d'âge connu. Un esprit unique, différent. Son regard perçant trouve toujours les solutions là où personne ne voit rien. Il peut paraître hautain et dédaigneux, mais c'est seulement parce qu'il n'a pas encore dévoué ses impressionnantes facultés mentales aux relations humaines. Tu peux le consulter à chaque fois que tu es dans une impasse, mais attention, ne le dérange pas pour rien, il ne voudrait plus te dépanner. Son aide se mérite.

Colomba FOND

Colomba, 42 ans, journaliste qui s'intéresse à la pègre parisienne au départ, mais qui a ensuite développé de nombreux contacts internationaux. Elle en connaît donc un rayon sur les réseaux de trafiquants et de voleurs en tout genre. Ses articles font toujours l'effet d'une bombe quand ils paraissent, car elle n'hésite pas à dénoncer de puissants réseaux. Elle a aussi travaillé pour la police, il y a 15 ans, et a conservé de cette époque son carnet d'adresses avec tous ses indicateurs. Tu peux la consulter dès qu'il s'agit d'organisations ou même d'informations sur des truands ou des voleurs, elle ne te décevra pas. Elle ne se déplace jamais sans un café très fort.

Lady Calista Cumbert-Jones

Lady Cumbert-Jones est une vieille aristocrate, qui profite de la liberté que lui donne son rang pour dresser ses cheveux en crête punk sur sa tête et porter un tatouage. Tu adores son look ! Sa famille appartient à la grande noblesse et, à ce titre, elle fait partie de la Chambre des lords. Elle connaît tout sur la royauté. À consulter à chaque fois que tu as des questions sur le protocole, ou sur la famille royale, ou sur l'histoire de la royauté. Elle adore les Sex Pistols et les Clash, forcément ! Tu ne pensais pas qu'il existait encore des punks, et encore moins une punk de son rang.

Les points d'enquête

Tu commences l'aventure avec 50 points d'enquête.
À chaque fois que tu te trompes, tu perds un point d'enquête,
viens le cocher ici. À la fin de l'histoire,
tu sauras quel enquêteur tu es !

——— ◆ ———

Si tu as coché :

○ ○ ○ ○ ○   De 0 à 5 points,
▶ **tu es plus fort que Sherlock Holmes !**

○ ○ ○ ○ ○   De 6 à 12 points,
○ ○ ○ ○ ○   ▶ **tu es un très bon enquêteur !**

○ ○ ○ ○ ○   De 16 à 30 points,
○ ○ ○ ○ ○   ▶ **tu viens d'avoir ton badge de détective.**
○ ○ ○ ○ ○

○ ○ ○ ○ ○   De 31 à 50 points,
○ ○ ○ ○ ○   ▶ **tu es enquêteur débutant.**
○ ○ ○ ○ ○   **Pas de panique, les compétences**
○ ○ ○ ○ ○   **viennent avec l'expérience !**

Directeur : Sarah Kœgler-Jacquet
Directeur de projets : Sandra Berthe
Éditeur : Marion Lambert-Gusdorf, assistée de Justine Simorre
Graphiste : Fanny Boiron
Fabrication : Anne-Laure Soyez, assistée d'Emma Hiesse

Auteurs : Les Fées Hilares, Marie Chaplet et Steffanie Yeakle
Illustrations : Caroline Ayrault, Solenne et Thomas pour les énigmes.
Maquette : Claire Mieyeville (mokmok.agency)
Suivi éditorial : Sophie Prénat
Correction : Agnès Scicluna

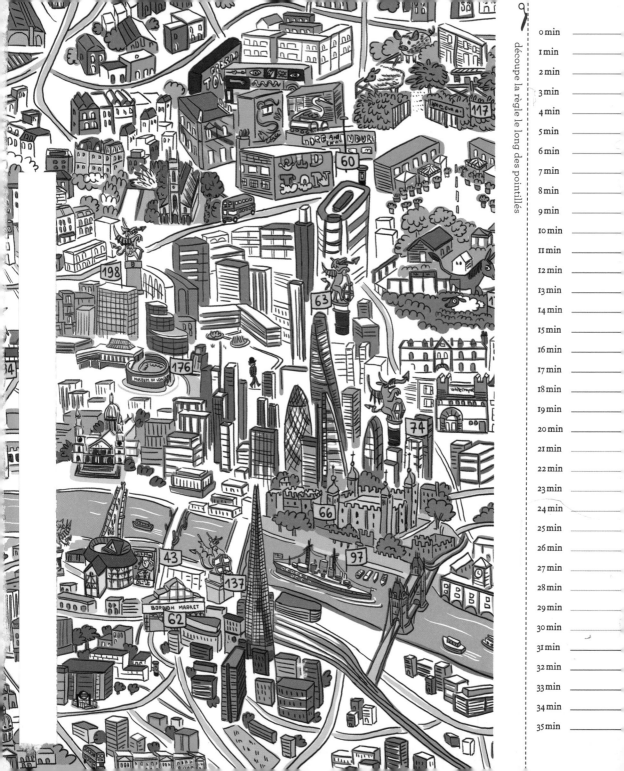

découpe la règle le long des pointillés

0 min
1 min
2 min
3 min
4 min
5 min
6 min
7 min
8 min
9 min
10 min
11 min
12 min
13 min
14 min
15 min
16 min
17 min
18 min
19 min
20 min
21 min
22 min
23 min
24 min
25 min
26 min
27 min
28 min
29 min
30 min
31 min
32 min
33 min
34 min
35 min